너에겐 너의 음악이

유럽을 여행하는 젊은 퇴사자를 위한 안내서

허자경

1987년 서울에서 태어났다. 약 2년간 신문기자 생활을 했다.

현재는 한 이동통신사에서 커뮤니케이션 일을 하고 있다.

http://blog.naver.com/carbonaro

너에겐 너의 음악이

발행	2017년 07월 05일
저자	허자경
펴낸이	한건희
펴낸곳	주식회사 부크크
출판사등록	2014.07.15 (제2014-16호)
주소	경기도 부천시 춘의동 202 춘의테크노파크2차 202동 1306호 (주)부크크
전화	070)4085-7599
E-mail	info@bookk.co.kr
ISBN	979-11-272-1835-5

본 책은 브런치 POD 출판물입니다.
https://brunch.co.kr

www.bookk.co.kr

너에겐 너의 음악이

유럽을 여행하는
젊은 퇴사자를 위한 안내서

허자경 지음

intro 이렇게 완성된 나의 음악

세상엔 하지 말라는 걸 굳이 하는 사람이 있다. 보통 위인이 되거나 탕아가 된다. 나는 위인도 탕아도 아닌 여행자가 됐다. 어렵게 들어간 신문사를 관둔, 2014년 10월의 일이다. 열심히 공부해 대학에 가고, 또 열심히 노력해 취업을 하고, 다시 열심히 버티며 직장 생활을 하고…. 문득 의문 하나가 떠올랐다. '이 모든 게 누굴 위한 거지?' 결국 일을 저질렀다. 28년을 모범적으로 살다가 갑자기 좋다는 직장을 관두고 지구 반대편 유럽으로 갔다. 초보 신문 기자는 어느 날 그렇게 여행자가 됐다.

유럽에 가기 전 나는 지인들로부터 '제도권의 사생아'로 규정됐던 바 있다. 제도권을 아버지 삼아 누구 못지않게 잘 따르며 살아왔지만, 어쩐지 이분은 내 아버지가 아니라는 생각에 늘 괴롭고 힘들었다. 그럴 깜냥도 안 되면서 늘 히피와 예술가를 동경했다. 세상을 떠도는 사람들, 동양의 한 점을 벗어나 세계를 벗 삼는 이들이 부러웠다. 쉽게 말해 세상 말 잘 듣고 나름 열심히 살면서도 지랄병이 끊이지 않았다는 뜻.

결국 그래서 사고를 친 것 같다. 28세에 이르러서야 제도권을 박차고 나가고 싶은 욕망이 임계점에 도달한 것은… 축복일까. 적어도 지금으로선 더할 나위 없는 축복이란 생각이다. 이런 세상이 있었구나. 이렇게 살아가는 사람들이 있었구나. 제도권하의 모범생 바운더리를 깨고 나가 다양한 사람을 만나는 즐거움은 컸다. 상대적으로 남루한 행색의 동세대 외국인과의 조우도 인상적이었다. 나의 세상이 어느덧 한 뼘 더 넓어진 기분이다. 대학생 때였다면 느낄 수 없었을 감정도 살뜰하게 챙겨온 것 같다.

런던에서 동행했던 한 친구는 아일랜드에 온 지 8개월째였다. 영어도 공부하고, 여행도 다녔다고 한다. 외국에 나와 언제가 가장 기억에 남느냐는 질문에 그 친구는 "지금"이라고 답했다. 인상적이었다. 나는 한국에서 비슷한 종류의 질문에 항상 "대학 시절에…" "예전에 말이야…" 등의 대답을 달고 살았는데…. 과거 지향도 아니고, 미래 지향도 아니었던 어정쩡한 삶.

그래서 나처럼 제도권에 갑갑하게 몸을 끼운 채 살아온 이들에게 '퇴사 여행 예찬론'을 펴고 싶다. 회사를 다니는 일이, 또 한국에서 많은 이들이 집중하는 일이 끝끝내 잡히지 않을 미래와 결국엔 남인 타인의 시선을 의식하고 동시에 겨냥하는 성격의 것이라면, 퇴사와 그에 잇따른 여행은 지금 이 순간과 나 자신에게 몰두한 채 지내볼 수 있는 선택인 것 같다.

여행하는 동안 많이 보고, 많이 느꼈으면 했다. 부족하다고 느꼈던

부분을 채우는 시간이길 소망했다. 한 뼘 더 자라고 한층 더 성숙해지는 계기가 되기를 바랐다. 무엇보다 인생에서 지워지지 않은 진한 한때로 남았으면 좋겠다고 생각했다. 취직한 이후부터 퇴사하기 전까지의 나날들을 떠올리면 그야말로 희뿌연 모습이었다. 먼 훗날 돌아보면 전혀 기억나지 않을 것만 같은 잿빛 시간으로 가득 차 있었다.

반짝이는 생의 순간을 다시금 힘껏 호명하고 싶었다. 그리고 그 순간들을 오래도록 기억하고 싶었다. 여행하는 동안 끊임없이 기록을 이어간 까닭은 그 때문이다. 12개국 30여개 도시를 80일간 떠도는 동안 카메라와 수첩을 부지런히 놀렸고, 매일 밤 잠들기 전 기록을 정리했다. 짧게나마 기자로 보낸 날들의 습관 때문일까. 어쩐지 여행기라기보다는 어설픈 취재를 해온 것 같긴 하지만…. '지금 이 순간'에 대한 취재 말이다.

"봄의 노래에 대해선 생각지 말라. 너에겐 너의 음악이 있다." 영국 시인 존 키츠(John Keats)의 시 '가을에(To autumn)'의 한 구절이다. 기자 시절 알게 된 이 시구를 여행 내내 생각했다. '너에겐 너의 음악이'란 책 제목을 붙이고 나니 여행이 정말로 끝난 기분이다. 이렇게 완성된 나의 음악. 이 부족한 글과 사진이 '유럽을 여행하는' 사람을 위한, 또 '젊은 퇴사자'를 위한, 무엇보다 자신의 음악을 만들어 가려는 이를 위한 작은 안내서가 될 수 있기를.

2014년 가을 시작한 여행을 마치며

2015년 여름 허자경 씀

차례

intro 이렇게 완성된 나의 음악

01 '선생'의 흔적들 앞에서 영국 런던

02 쾌락의 도시에서 만난 고흐와 안네 네덜란드 암스테르담

03 자전거, 혼탕 사우나, 공동묘지 독일 뮌스터

04 네 멋대로 해라 독일 베를린

05 진정한 용기 체코 프라하 & 체스키크룸로프

06 한 아이의 신발 폴란드 아우슈비츠-비르케나우 수용소

07 모든 게 조금씩 빛을 바래도 폴란드 크라쿠프 & 바르샤뱌

08 이 도시가 만약 한 명의 사람이라면 헝가리 부다페스트

interlude #1 미국 영어는 어려워

09 '비포선라이즈'의 도시 오스트리아 비엔나

interlude #2 Target Acquired

10 비정상과 비상식 사이 독일 노이슈반슈타인 성

interlude #3 고마운데… 나는 코리안이야

11 헐거운 풍경과 적막한 밤 스위스 루체른 & 인터라켄

interlude #4 Old Stephen and big head JK

interlude #5 늙은 내가 우습냐

12 첫인상과 끝인상 이탈리아 베니스

13 멀리서 바라보면 이탈리아 피렌체

14 '천재' 미켈란젤로 이탈리아 로마 & 바티칸 시국

interlude #6 Hey! What is your fxxking problem?

15 버려진 돌마다 풀이 돋았다 이탈리아 폼페이

16 성 크리스토퍼를 만나다 스페인 톨레도

17 절망과 환멸이 낳은 작품 스페인 마드리드

18 오늘도 여행은 계속된다 포르투갈 리스본 & 포르투

19 타파스 한 접시에 확신은 흔들리고 스페인 안달루시아(세비야/론다/그라나다)

interlude #7 뜨겁게 안녕

20 안토니 가우디의 삶 스페인 바르셀로나

21 사기꾼이 성자로 바뀌기에 충분한 시간 프랑스 파리

22 손님은 왕이 아니야 유럽을 떠나는 비행기 안에서

outro Thank you for sharing your time with me!

01 '선생'의 흔적들 앞에서

영국 런던

01

'선생'의 흔적들 앞에서 영국 런던

런던의 지하철역엔 'Underground(언더그라운드)'란 표시가 붙어있다. 흔히 지하철을 가리키는 영어단어로 'Subway(서브웨이)'를 떠올리기 쉽지만, 영국에서 이는 지하도를 가리키는 단어다. 런던 지하철은 언더그라운드라는 이름 외에도 'Tube(튜브)'란 애칭으로도 불린다. 지하철 모양이 튜브를 닮아서다. 런던에선 왜 유난스럽게 이런 특이한 표현을 사용하는 걸까.

사실 이런 의문은 영국 입장에선 억울할 수도 있다. 런던은 세계 최초로 지하철을 도입한 도시다. 1863년 1월 9일 첫 열차가 패딩턴에서 패링턴 스트리트까지 6.4km를 달린 이후 지금까지 런던 곳곳을 거미줄처럼 이어왔다. 2013년에 150주년을 맞았고, 2014년 올해로 151주년에 이른다.

세계에서 가장 먼저 지하철을 도입한 영국 사람들로서는 땅 속을 달리는 이 기차의 이름을 지어줄 의무가 있었을 터. 그리고 아마 그들이 택한 단어는 언더그라운드였을 테다. 후발주자인 다른 나라들이 서브웨이니 'Metro(메트로)'니 하는 다른 이름을 붙였어도 원조가 이름을 바꾸기란 뭔가 이상했겠지. 영국은 불과 한 세기 전만 해도 산업혁명을 시작으로 근대로 진입하는 인류를 힘차게 견인하던 세계 최강대국이었다. 그들의 다양한 유난엔 그만한 이유가 있다.

오전 8시 30분. 빅토리아 라인 핌리코 역에서 지하철을 탔다. 세계 최초의 지하철답게 크기가 아주 아담했고, 출근시간이었던 만큼 그 아담한 공간은 당장이라도 터져나갈 듯 사람들로 빽빽했다. 런던의 출근길 풍경은 서울과 크게 다르지 않았다. 다들 바빠 보였고, 빠르게 걸었다. 지하철역이 서울의 그것보다 훨씬 규모가 작고 통로도 좁아 오히려 서울보다 더 복잡하게 느껴졌다.

그러나 지하철 탑승을 앞둔 사람들은 조바심을 내지 않았다. 문이 닫히는 지하철에 가방을 밀어 넣거나, 이미 사람들로 가득 찬 지하철을 타보겠다며 몸을 내던지며 육탄공격을 하는 이가 없었다는 말이다. 그렇게 지하철이 떠난 뒤 나는 조금 감격했다. '영국은 신사의 나라라더니, 과연….'이라는 생각을 하던 순간, 갑자기 새 지하철이 큰 소리를 내며 역으로 들어왔다.

그때 깨달았다. 이들은 신사라서 차분한 게 아니라 조급해할 필요 자체가 없다는 것을. 안내 전광판을 보니 거의 1분 간격으로 새로운 지하철이 역을 향해 달려오고 있다. 생각해보니 런던 여행 5일차인 지금까지 지하철을 타면서 단 한 번도 오래 기다린 적이 없었다. 역으로 내려가 안전선 앞에 서면 언제나 거의 곧 지하철이 도착했다.

'의식은 환경의 지배를 받는다.' '의식을 탓하기 전에 환경부터 살펴봐야 한다.' 전혀 조급해하지 않는 지하철역 속 영국 사람들을 보며 떠올린 생각이다.

런던 언더그라운드에서 발견한 광고. 처음엔 상업광고인가 싶었는데, 좌측 하단에 'MAYOR OF LONDON(런던 시장)'이라고 적혀있는 것을 볼 때 공익광고인 듯하다. 'STAY COOL WITH A BOTTLE OF WATER'란 문장이 언더그라운드에 타고 있는 런던 사람들과 잘 어울려 보였다.

런던 지하철을 놓기 위해 영국 사람들은 약 150년 전 땅을 아주 깊이 팠다. 지금도 지하철을 타려면 지하로 2층, 심하면 3층까지 내려가야 하는 이유다. 그런데 오랜 시간이 흐르고 기술이 급속히 발전하면서 지하철과 지하철역을 보수할 필요가 생기자 문제가 생겼다. 마치 구멍이 뻥뻥 뚫린 치즈처럼 생긴 석회암으로 이뤄진 런던의 땅, 더군다나 곳곳이 깊이 파인 이 땅에선 대규모 보수공사가 불가능했던 것. 자칫 잘못했다간 붕괴의 위험이 있었다. 그래서 런던 시내는 매일 공사판이다. 이번엔 여기를 조금 보수공사하고, 다음엔 저기를 조금 보수공사하고. 그 과정이 끝없이 이어진단다. 과연 버스를 타고 달리는 런던의 땅 위는 곳곳이 공사판이었다.

런던에 지하철이 놓이자 큰 충격과 자극을 받은 도시가 있었다. 바로 영국의 라이벌인 프랑스의 수도 파리다. 이후 파리엔 급하게 지하철이 놓였다. 지하철 다닐 통로를 팔 시간을 기다릴 수 없었던 그들은 하수도를 지하철이 다니는 통로로 활용했다. 그래서 파리의 지하철역은 얕은 곳에 있어 보통 지하로 1층 정도 내려가면 된다고 한다. 영국 지하철역과의 차이는 바로 '악취'. 애초에 태생이 하수도였던 한계겠다.

런던 전역을 거미줄처럼 잇고 있는 런던 지하철 노선도를 들여다보고 있노라면 기분이 묘해진다. 총 15개의 라인 중 10개의 라인이 약 100년 전부터 달렸다고 한다. 산업혁명을 통한 신기술을 바탕으로 대영제국이 최절정기에 달했던 1863년, 지하철이 처음 놓인 그때 그 제국의 수도가 바로 내가 서 있는 런던이었다. 비록 지금은 미국과 중국에 밀려 쇠락해가는 나라지만… 빨간 동그라미를 관통하는 파란 막대에 적힌 'Underground'란 글씨를 볼 때마다 증기기관차가 곳곳에서 연기를 뿜고 구석구석 활기가 넘쳤을 제국의 풍경이 환영처럼 아른거리곤 했다.

6

런던 곳곳엔 인류가 근대라는 새로운 시대를 열어젖혀 나가던 시절의 흔적이 고스란히 남아있다. 대표적 사례가 1886년에 착공을 시작하여 1894년에 완성한 타워브리지다. 런던 시내를 흐르는 템스강 위에 도개교(跳開橋)와 현수교(懸垂橋)를 결합한 구조로 지은 다리인데, 이런 모양이 된 까닭은 다름 아닌 증기선 때문이다. 대형선박이였던 증기선이 지나갈 수 있도록 하기 위해 중앙 60m 부분을 도개교로 만들었다고 한다. 단순 관광지로 보이는 이 다리가 실은 산업혁명의 흔적이다. 완공된 첫 달에만 655번이나 다리를 들어 올렸고, 2~3년 전만해도 연 6000여 회, 하루 20여 회가량 가동됐다. 그러나 시간이 갈수록 효용가치가 떨어지면서 지금은 고작해야 하루 1회, 연 200회 정도 가동된다고 한다. 다리를 세로로 가로지르는 증기선은 자취를 감춘 반면, 다리 위를 달리는 자동차는 늘어났기 때문일 것이다.

TOWER
BRIDGE

템스강 동남쪽에 위치한 한적한 마을 그리니치는 보이지 않는 시간에 가닿으려는 인류의 몸부림이 깃든 동네다. 이곳엔 1675년 찰스 2세 때 만들어진 천문대가 있다. 경도와 위도가 파악되고, 세계 각국의 시차와 시차를 가늠하는 기준 시간이 태어난 곳이다. 바다를 따라 동서남북으로 뻗어나가던 배를 통솔하고 전 세계에 포진한 식민지를 다스려야 했던 영국으로서는 눈에 보이지 않는 시간의 정체를 속속들이 파악하는 일이 지상과제였다. 시간을 정복하려는 영국인들의 노고는 오늘날 그리니치 천문대 앞마당에 본초자오선(本初子午線·경도 0°)이란 이름으로 새겨져 있다. 그들이 파악해 나간 위도와 경도가 GPS와 내비게이션, 구글맵스 등으로 계승된 풍경은 경이롭다. 내가 선 땅의 위치와 시간을 파악하는 행동 속엔, 수백 년 전 영국인들의 흔적이 묻어있는 셈이다.

(왼쪽) GMT(Greenwich Mean Time · 그리니치 평균시)를 가리키는 시계. 12시간 기준이 아니라 24시간 기준이다.

(오른쪽) 내가 양발 사이에 두고 있는 것은 시간이 시작되고 끝나는 본초자오선. 지구 경도의 원점이기도 한 바로 그 선이다.

런던 블룸즈버리에 자리 잡은 영국박물관은 프랑스의 루브르박물관, 러시아의 에르미타주박물관과 더불어 세계 3대 박물관으로 꼽힌다. 미술사적으로 가치 있는 작품뿐 아니라 인간의 역사와 문화에 관련된, 인류학적 유물들을 함께 전시하고 있는 것이 특징이다. 특별한 전시회를 제외하곤 무료로 입장 가능하다. 문화와 유물에 대해 관심이 많았던 과학자 한스 슬론의 컬렉션이 전시품의 시초. 국가에 기증할 당시 7만 1000여 점이었던 슬론의 컬렉션은 4만여 점의 도서, 7000여 점의 문서, 방대한 자연사 표본, 이집트 유물, 그리스 로마 유물, 고대 근동, 극동 유물 등으로 구성돼 있었다고 한다. 이곳에선 고대 이집트와 메소포타미아 문명, 그리고 그리스 아테네의 파르테논 신전과 관련한 전시품을 살펴봤다.

내세를 지향한 이집트인과 현세에 집중한 메소포타미아인. 삶에 대한 태도는 극명하게 엇갈렸다. 그러나 평화로운 나날 속에서 삶이 끝난다는 사실을 도저히 감당할 수 없었던 이집트인이 만들었던 미라도, 끝없는 침략과 전쟁 속에서 언제 끝날지 모르는 지금의 삶을 소중히 여긴 메소포타미아인의 조각도… 모두가 결국엔 하나의 풍경으로 느껴졌다. "삶은 견딜 수 없이 절망적이고 무의미하다는 현실의 운명과, 이 무의미한 삶을 무의미한 채로 방치할 수 없는 생명의 운명이 원고지 위에서 마주 부딪치고 있습니다. 말은 현실이 아니라는 절망의 힘으로 다시 그 절망과 싸워나가야 하는 것이 아마도 말의 운명이지요. 그래서 삶은, 말을 배반한 삶으로부터 가출하는 수많은 부랑아들을 길러내는 것인지요." (소설가 김훈의 '칼의 노래' 동인문학상 수상 소감 중) 이집트인과 메소포타미아인이 남긴 흔적에 대한 느낌은 이 조각글로 갈음하고자 한다. 그들은 말 대신 미라를 만들고, 조각을 했을 터이다.

인간의 모습을 있는 그대로 그리거나 조각하기보다는 이상적(ideal)인 모습으로 표현했던 이집트인과 달리 메소포타미아인은 눈에 보이는 실존 그 자체를 중시했다. 메소포타미아인이 남긴 조각 속에선 인간의 종아리 근육이 선명하다.

오랜 세월이 지난 뒤 지구 반 바퀴를 돌아와 '선생(先生)'의 흔적들 앞에 선 후인은 심경이 복잡했다. 먼저 살다간 이들이 남긴 것들을 보며 생각해 봤다. 이 무의미한 삶을 무의미한 채로 방치하지 않기 위해, 나는 살아가는 동안 무엇을 해야 할까 하고….

02 쾌락의 도시에서 만난 고흐와 안네

네덜란드 암스테르담

02

쾌락의 도시에서 만난 고흐와 안네
네덜란드 암스테르담

암스테르담 숙소에 도착해 로비에서 여행 계획을 짜고 있는데 생전 처음 맡아보는 특이한 냄새가 코끝을 찔렀다. 약간 고약하기도 하고, 구수하기도 한 냄새. 오묘한 표정으로 그 냄새를 맡고 있는 내게 한국인 동행은 '마리화나 냄새'라고 일러줬다. 미국 유학 경험이 있다는 그 동행은 "오랜만에 맡아 본다"며 "여기가 암스테르담이 맞긴 맞나 보다"라고 했다.

과연 암스테르담은 그 명성에 걸맞은 모습이었다. 거리를 걸을 때마다 수시로 마리화나 냄새가 코끝에 당도했다. 트램 정류장에서도, 식당 앞에서도, 박물관을 나설 때도 예외는 아니었다. 도시는 깨끗한 편이 아니었다. 길가엔 담배인지 마리화나인지 모를 것들을 피고 남은 꽁초가 여기저기 나뒹굴었고, 암스테르담 여기저기를 관통하는

운하의 색깔은 탁했다. 암스테르담 꽃시장을 거닐며 꽃을 구경하다가 뜬금없이 등장한 '매직머시룸(Magic Mushroom)'이란 이름의 가게에 놀라기도 했다. 담배나 마리화나 등을 파는 가게인데, 꽃향기 속에 파묻힌 채로도 마리화나 냄새는 뚜렷했다.

암스테르담 중앙역에서 약 200m 정도 떨어진 담락 거리 한복판엔 '섹스박물관(Sex museum)'이 있다. 성(性)과 관련된 온갖 모형과 사진, 춘화(春畵) 등을 가득 전시하고 있다. 홍등가를 재현해 놓은 곳도 있고 폰섹스를 체험할 수 있는 폰부스도 있다. 박물관을 둘러보는데 붉은색 머리의 한 서양 여성이 거대한 남성 성기 모형 옆에 서서 그쪽으로 혀를 내밀며 기념사진을 찍고 있었다. 약간은 멍해진 기분으로 섹스박물관을 나서니 10살이 채 되지 않아 보이는 아이들이 박물관 문 앞을 감자튀김을 먹으며 지나가고 있었다.

밤이 되면 암스테르담 중앙역 동남쪽에 위치한 홍등가에 붉은 빛이 번쩍인다. 국가에 세금을 내고 합법적으로 운영되는 곳이다. 속옷만 걸친 서양 여성들이 붉은 빛 아래 서서 유리창 너머로 길거리를 오가는 남성들을 지그시 바라본다. 세계 각국의 남성들은 그 좁은 골목골목을 오가며 그 여성들을 구경한다. 때때로 몇몇 남성들이 유리창에 노크를 하곤 했는데, 그럴 때면 여성은 문을 반쯤 열고 흥정을 시작했다. 흥정이 잘 마무리되면 남성은 유리창 너머로 입장했고 유리창은 커튼으로 가려졌다. 홍등가를 떠도는 마리화나 냄새는 다른 거리에서보다 더욱 강렬했다.

암스테르담 꽃시장에 위치한 '매직머시룸' 내부 풍경

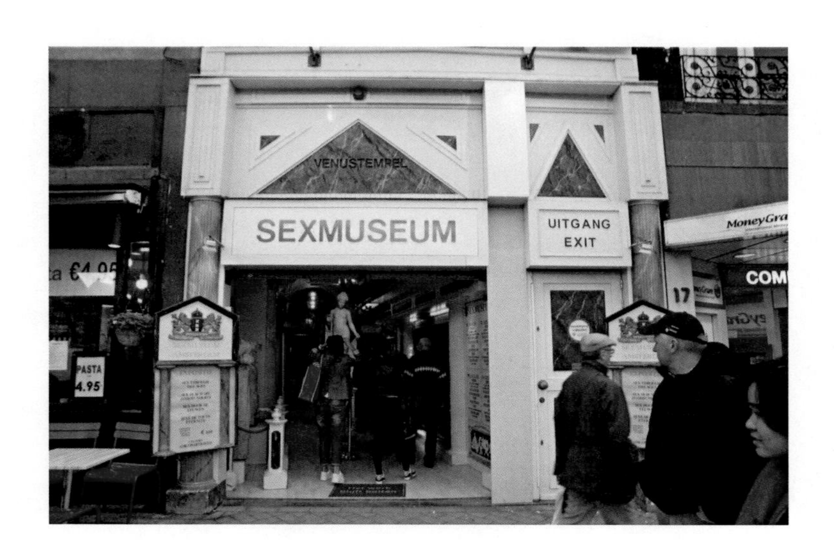

담락 거리 한복판에 자리 잡은 섹스박물관의 입구

현세의 쾌락에 이처럼 몰두하는 곳이 또 있을까. 싫은 이 도시엔 아이러니하게도 현세의 삶을 꾸려나가는 내내 고통에 몸부림쳐야 했던 두 사람의 흔적이 남아 있다. 빈센트 반 고흐, 그리고 안네 프랑크다. 고흐 박물관과 안네의 집은 암스테르담을 대표하는 관광지 중 하나다. 이곳을 방문하려는 관광객들은 항상 차고 넘쳐서, 내가 갔을 때도 꽤 오랜 시간(고흐 박물관의 경우 약 20분, 안네의 집의 경우 약 1시간)을 기다려야 했다.

고흐 박물관엔 작품보다도 드라마틱했던 그의 삶에 관한 내용이 잘 정리돼 있다. 자신만의 그림을 밀고 나가며 세상의 인정을, 돈을, 사랑과 우정을 바라고 또 바랐으나 결국 세상의 지독한 외면 속에서 권총자살로 세상을 떠난 그의 삶은 슬프다 못해 처참했다. 그는 한때 자신의 작품에 대한 자신감을 보이기도 했다. 박물관엔 고흐가 '감자 먹는 사람들' 등의 작품을 완성하고 나서는 매우 만족스러워하며 강한 자신감을 보였다는 내용도 있다. 그러나 거듭된 실패로 끝모를 가난과 외로움, 절망과 슬픔에서 헤어나올 수 없었던 그는 죽기 얼마 전에 동생에게 이런 말을 남겼다고 한다. "난 화가로서 결코 성공할 수 없을 것이다. 이제 그것을 확신한다." 박물관 벽에 새겨진 "I feel – a failure. he wrote"란 문장은 글자 그 자체로 서러웠다.

안네의 집에선 수시로 소름이 돋는다. "언젠가 이 무서운 전쟁은 끝이 나겠지. 우리가 단지 유대인이 아니라 사람으로 인정받는 날이 반드시 올 거야(1944년 4월 11일)." 잘 알려져 있다시피 그녀 생전에 그런 날은 오지 않았다. 집 곳곳엔 이처럼 '안네의 일기'의 몇몇 구절이 네덜란드어와 영어로 나란히 새겨져 있다. 안네의 집을 모두 살펴보고 나오는 출구 근처엔 안네의 일기장과 전 세계 각국에서 발간된 '안네의 일기'가 전시돼 있는데, 그곳 벽엔 이런 문장이 적혀 있다. “너는 이미 잘 알고 있겠지만 나의 가장 큰 소망은 저널리스트가 되는 거야. 그리고 그 이후엔 유명한 작가가 됐으면 해. 전쟁이 끝나면 나는 ‘The Secret Annex’라는 이름의 책을 펴내고 싶어(1944년 5월 11일).” 안네는 1945년 3월 베르겐-벨젠 수용소에서 발진티푸스로 사망했다. 아돌프 히틀러의 나치 독일이 연합국에 항복하기 불과 2개월 전의 일이었다.

고흐와 안네가 살아야 했던 삶을 구체적으로 떠올리는 일은 견딜 수 없이 슬프다. 삶 속으로 무자비하게 짓쳐들어오는 야만 속에서도 그들은 강렬한 꿈을 놓지 않고 품 안에 간직한 채 씩씩하게 걸어갔다. 하지만 그런 그들이 감당해야 했던 삶은 얼마나 참혹했나. 비록 그들이 죽은 오늘날 온 세상은 호들갑을 떨며 그들에게 사랑을 보내고 있지만, 생전에 그들은 볕 한 조각 마음껏 쬘 수 있는 처지도 못 됐다. 뒤늦게나마 고흐가 인정받고 안네가 생전 그녀의 바람처럼 유명한 작가가 된 것을 보면 ‘진심으로 꿈을 좇으면 언젠가는 이뤄지는 건가 보다’ 싶다가도, 그게 그들은 전혀 알 수 없는 그들 사후(死後)의 일이라면 고흐와 안네에겐 도대체 무슨 의미가 있는 걸까… 싶기도 했다.

암스테르담의 풍경은 그래서 한편으론 고흐와 안네의 삶을 추모하는 것처럼 보이기도 했다. 그들이 누리지 못했던 삶의 쾌락은 도시 구석구석 흘러넘치고 있었다. 우리 생명 빛날 때 삶의 쾌락을 한껏 좇자고 말하는 듯한 이 도시를 떠나기 전, 바람 부는 담락 거리에 서서 주위를 둘러봤다. 내세의 존재를 믿을 수 없는 무신론자로서 어쩐지 이 도시의 풍경과 냄새가 오래도록 생각날 것 같았다.

03 자전거, 혼탕 사우나, 공동묘지

독일 뮌스터

03
자전거, 혼탕 사우나, 공동묘지
독일 뮌스터

독일 서북부에 자리 잡은 뮌스터는 대학의 단과 건물이 도시 전체에 흩뿌려져 있어 '대학도시'로 이름이 높다. 하지만 실제로 도시에 도착했을 때 눈을 사로잡는 건 대학보단 자전거다. 수십, 수백 대의 자전거가 도시 곳곳을 누비고 다니는 광경을 보고 있노라면 '이곳은 대학도시 이전에 자전거도시구나'라는 생각이 절로 든다. 인구 약 30만 명의 도시에 자전거가 약 50만 대가 있다고 하니 그야말로 어마어마한 수치다. 그래서일까. 도시 곳곳엔 자전거 바퀴에 바람을 넣을 수 있는 장치가 마련돼 있고 도로마다 자전거용 신호등이 따로 설치돼 있다. 자전거 도로를 엄격히 존중하는 것도 이 도시의 특징. 중앙역 지하엔 자전거 주차장이 따로 있을 정도다.

그중 가장 인상적인 게 있다. 바로 사거리나 삼거리마다 자전거 탑승자의 손이 보내는 수신호다. 교차로에서 사람들은 팔을 뻗어 왼쪽

혹은 오른쪽을 가리키며 뒷사람에게 자신이 갈 방향을 알렸다. 검지와 중지를 함께, 또는 검지만, 혹은 손바닥을 내밀기도 했지만 전부 다 명쾌한 수신호였다. 4명이 나란히 달리다가 일제히 오른팔을 들어 수신호를 보내는 진풍경을 보기도 했다. "저런 건 학교에서 배우는 건가?" 내 질문에 뮌스터에서 공부 중인 친구가 고개를 갸웃하며 답했다. "아마 여기 사람들은 그럴 거야. 나는 와서 직접 보면서 어깨너머로 배웠지만."

뮌스터 시내를 자전거로 달리고 있는 어린아이들의 모습

뮌스터엔 특이한 게 또 있다. 바로 사우나다. 물론 사우나는 우리나라에도 있다. 하지만 이곳의 사우나는 혼탕 사우나다. 수영복? 그런 거 없다. 남녀노소를 막론하고 모두 탈의한 채 한 공간에서 씻고 물에 몸을 담그고 사우나를 한다. 친구가 미리 언질을 주지 않고 데려갔기에 처음엔 적잖이 충격을 받았다. 입장하자마자 나체의 중년 여성이 내 눈앞을 비현실적으로 걸어갔다. 하지만 당황하는 것도 잠시. '이것도 경험'이라고 마음을 가다듬고 옷을 벗었다. 프런트 데스크에서 빌린 가운(이동 시 걸쳐 입는 용도)을 허겁지겁 걸쳐 입었지만, 사우나실 앞에 이르자 이 가운도 별 수 없이 벗어야 했다.

예상과 달리 사우나실 안의 분위기는 전혀 음란하거나 어색하지 않았다. 벗고 있다고 해서 의식적으로 시선을 피하거나 하는 일도 없었다. 다들 사우나실 안에서 증기(蒸氣)를 즐기는 데 집중했고, 증기를 타고 퍼지는 레몬향이나 허브향에 몰두했다. 가끔 시선이 마주치면 미소를 보내기도 했다. 나이가 많다고 해서 노출에 더 둔감한 것도, 나이가 어리다고 더 예민한 것도 아니었다. 혼탕 사우나를 대하는 뮌스터 사람들의 태도는 모두 한결 같았다. 그들에게 이곳은 사우나를 하는 곳이지, 이성(異性)의 나체를 훔쳐보러 오는 곳이 아니었다.

친구는 "독일, 오스트리아, 스위스가 이처럼 혼탕 사우나를 한다"라고 넌지시 일러주었다. "우리나라에 만약 이런 게 있다면 사람들이 올까?" 내 질문에 친구는 "남자들은 불순한 목적으로 올 수 있겠지만, 여자들은 절대 안 올 것 같다"라고 했다. 나도 같은 의견이었다. 혼탕 사우나실 속에 들어찬 약 30명의 사람들을 둘러보니 절반 이상이 여자였다. 조금은 익숙해졌던 기분이 다시금 어색해졌다.

'혼탕 사우나'라는 문화 충격을 선사했던 '아이만 사우나(eymann sauna)'

친구와 함께 자전거를 빌려 타고 뮌스터 시내를 돌아보다가 중앙 공동묘지에 들렀던 기억은 마음 깊이 새겨져 있다. 보기 좋게 꾸며진 묘는 대부분 2대나 3대가 함께 묻힌 가족묘였고, 비석 앞엔 색색의 풀과 꽃이 아름답게 장식돼 있었다. 친구의 말에 따르면 이 공동묘지에 묘를 들이는데 드는 비용은 30년에 750유로라고 한다. 친구는 "이곳에서 공부를 하며 주말이면 자전거를 타고 시내를 돌아다니곤 했는데, 이곳에 머무를 때 기분이 가장 편안해지고 좋았다"라고 했다. 주위 풍경을 둘러보며 고개가 절로 끄덕여졌다.

묘지 한 구석엔 태어난 지 얼마 되지 않아 죽은 아이들을 함께 묻은 합장묘(合葬墓)도 있었다. 아이들의 이름이 적힌 목각 인형, 장난감 블록, 하트 모양의 돌 등이 여기저기 놓여 있었다. 함께 적힌 생년월일과 사망일시를 보니 대부분 같은 날짜였다. 비석은 하나뿐이었고 거기엔 '태어나고 죽은 아이들의 무덤'이란 말과 함께 "하늘의 작은 별들이 얼마나 많이 떠있는지 알 수 있느냐? 그분께서는 너희를 알고 너희를 사랑하신단다"라고 독일어로 적혀 있었다. 끝을 헤아릴 수 없는 슬픔 속에서도 굳센 다정함이 새싹처럼 피어나는 풍경이었다.

공동묘지를 나서자마자 척 봐도 고급스러워 보이는 주택이 줄지어 선 광경이 눈에 들어왔다. 친구는 "이곳은 공동묘지 바로 옆인데도 오히려 고급주택이 모여 있기로 유명한 곳"이라며 "죽음에 대한 이곳 사람들의 의식은 우리나라의 그것과는 많이 다른 것 같다"라고 했다. "여기 집값이 정말 비싸다"라는 친구의 말에 나는 헛웃음이 나왔다.

뮌스터 중앙 공동묘지의 모습

태어난 지 얼마 되지 않아 죽은 아이들을 함께 묻은 합장묘도 있다. 아이들의 합장묘엔 비석 대신 복각 인형, 장난감 블록, 하트 모양의 돌 등이 놓여 있다.

뮌스터의 낯선 풍경 앞에서 '사람은 사회적 동물' 등의 명제가 머릿속에 두둥실 떠올랐다. 한국인으로 28년을 살아온 내게 그 풍경들은 생경했고, 더불어 부러운 기분을 들게 했다. 자전거 수신호는 품격 있어 보였고, 혼탕 사우나는 진솔해 보였으며, 공동묘지는 따뜻해 보였다.

문득 의식과 제도 중 무엇이 먼저일까 하는 생각이 들었다. 한국인과 다른 독일인의 의식이 이런 제도를 만든 걸까? 아니면 우리나라와 다른 독일의 제도가 이런 의식을 만든 걸까? 나는 항상 '제도가 먼저'라는 입장이었다. 그 대표적 예로 늘 현재 우리나라에서 성공적으로 시행되고 있는 쓰레기 종량제를 제시하곤 했다.

과거 우리나라는 건물면적, 재산세 등을 기준으로 쓰레기처리 수수료를 징수하는 제도를 시행하고 있었다. 하지만 이 제도의 부작용과 비효율성은 심각했다. 이에 환경부는 실제 배출량을 기준으로 수수료를 부과하는 쓰레기 종량제로 전환, 일부 지역에서 시범 실시했다. 그 결과 쓰레기 발생량이 30~40%나 줄고 재활용품 수거는 2배 이상 늘어나는 등 큰 성과를 보였다. 결국 쓰레기 종량제는 전국적으로 전격 시행됐고 지금까지 이어져 내려오고 있다.

쓰레기 종량제의 사례는 내게 있어 서로 다르게 디자인된 제도가 다른 의식과 다른 반응을, 그리고 끝내는 다른 결과를 도출한다는 결정적 증거와도 같았다. 의식 개혁을 촉구하기보다는, 잘 디자인된 제도를 통해 판 혹은 구조 자체를 바꿔 의식과 행동의 변화를 이끌어내야 한다는 믿음을 주었다.

하지만 친구의 생각은 달랐다. 생소한 뮌스터의 풍경 앞에서 연신 놀라워하는 내게 친구는 "독일인의 가치 체계는 한국인의 그것과는 판이하다"며 "판이한 가치 체계가 이처럼 다른 풍경을 빚어낸 것"이라고 주장했다. 일리가 있는 말 같았다. 친구는 "쓰레기 종량제야 어찌 보면 자본주의적 요소가 강한 제도라 정착시키는 일이 수월하지 않았을까"라며 "하지만 뮌스터의 풍경은 한국인이 떠올리기조차 어려울 것"이란 입장이었다.

좋아 보이는 풍경만 기록한 듯하니 한국인 대다수가 눈을 찌푸릴 만한 풍경도 기록해둔다. 며칠 전 머물렀던 암스테르담의 중앙역 플랫폼에선 흡연이 가능했다. 재떨이도 있었고, 'Rookzone(흡연 장소)'라는 표지판도 선명했다. '쾌락의 도시인 암스테르담은 과연 별나구나' 싶었던 내 감상은 유럽의 정치와 경제를 이끄는 독일에 들어서며

산산조각 났다. 독일 뮌스터에서 베를린으로 넘어가던 도중 들린 함역 플랫폼에도 'Raucherbereich(흡연장소)'라는 표지판이 있었던 것이다. 기차역 플랫폼에서 흡연을? 놀랍게도 그렇다. 흡연을 하던 한 중년 여성은 기차가 도착하자 피던 담배를 급하게 비벼 끄고는 기차에 올랐다.

네덜란드 암스테르담 중앙역 플랫폼의 흡연공간.

뿐만이 아니다. 런던, 암스테르담, 뮌스터, 그리고 현재 머물고 있는 베를린까지 유럽 도시에선 누구나 길을 걸어 다니며 이른바 '길빵'을 했다. 하지만 누구 하나 눈을 찌푸리거나 핀잔을 주는 이가 없었다. 친구의 증언은 내가 본 풍경과 일치했다. "누가 앞에서 담배를 피면서 걸어가면 그냥 아무 말 없이 피해 가더라고." 아닌 게 아니라 여행 중 만난 한국 여행자 중 흡연자들은 하나같이 '유럽은 흡연자의 천국'이라는 의견을 보였다. 그때마다 나는 우리나라에서 들었던 인상 깊은 주장을 떠올렸다. "'길빵'하는 사람들은 사형을 시켜야 해."

'혐연권이 중요하면 흡연권도 중요하다.' 우리나라에서도 흡연자 사이에서 간간히 탄식처럼 터져 나오는 논리다. 그러나 이 논리는 대개의 상황에서 무력하다. 금연구역은 전염병처럼 신속히 번져나가고 있다. 흡연구역을 대폭 추가 지정했다는 뉴스는 내 기억에 없다. 배제와 추방, 제거의 논리가 관철되는 형국이다. 이웃나라 일본은 어떨까. 도쿄와 오사카, 삿포로에서의 기억을 떠올려보면 일본에서도 역시 '길빵'은 금기시되는 분위기였다. 그러나 그곳엔 심하다 싶을 정도로 많은 흡연구역이 거리 곳곳에 준비돼 있었다. 그것도 다양한 편의시설과 함께 말이다. 적어도 일본인은 흡연자를 인간으로 여길 줄 알고, 흡연자의 욕구를 자신의 욕구와 동등한 위치에 올려놓을 줄 아는 것 같아 보였다.

유럽의 풍경은 단순히 어느 날 '이렇게 합시다!' 한다고 구현될 풍경이 아닌 것 같았다. 오랜 역사 속에서 축적된 의식의 뒷받침이 없었다면 불가능했을 풍경으로 보였다. 경제체제로 자본주의를 채택하고도 다양한 다른 요소를 살뜰하게 챙겨갈 수 있는 여유로움, 팍팍한 삶 속에서도 타인의 욕망과 입장을 고려할 수 있는 관용 등은 제도보다는 이 사회의 전통과 관습에서 비롯한 듯했다. 우리나라에서 이런 제도와 풍경을 구현해내기란 과연 힘든 일일까? 의식도, 전통도, 관습도 유럽의 그것과는 거리가 멀기 때문에?

여행을 시작한 지 얼마 안 됐지만 '유럽은 이런 점이 참 좋은데, 우리나라는 도대체 왜 그 모양일까… 도입하기 어려운 것도 아닌데…'

싶은 점이 한두 가지가 아니었다. '우리나라도 이렇게 한다면 사람들이 더 행복해질 수 있을 텐데…' '우리나라에도 이런 제도가 있다면 더 많은 이들이 편리함을 누릴 수 있을 텐데…' 싶은 점도 넘쳐났다. 유럽의 풍경이 전부 다 우리나라의 풍경보다 마음에 든다는 말은 아니다.

아니로되, 유럽은 우리나라보다 분명 덜 피곤하고 덜 안쓰러워 보였다. 말도 많고, 고집도 세고, 피해의식도 많은 나를 비롯한 한국인들. 알고 보면 정(情)이 많고 속 깊은 사람이 참 많은데…. 뮌스터에서의 인상적인 풍경을 가슴 속에 새기며, 왠지 피곤하고 안쓰러워 보이는 한국인 모두가 지금보다 조금 더 행복해질 수 있기를… 진심으로 기도해 보았다.

04 네 멋대로 해라

독일 베를린

04

네 멋대로 해라
독일 베를린

베를린은 익숙한 느낌을 주는 도시였다. 네모반듯하게 각진 건물이 가득한 도시. 그동안 거쳐 온 런던, 암스테르담, 뮌스터 등보다는 서울이나 도쿄 등에 가까워 보였다. 다시 말해, 관광지로서의 매력은 영 떨어진다는 소리다. 이는 유럽 여행 전부터 예상했던 바고, 실제 그 느낌은 적중했다. 하지만 애초에 베를린을 들르기로 한 이유는 관광 때문이라기보다는 상징적인 건축물 때문이었다. 바로 베를린 장벽이다.

베를린에 장벽이 세워지기 시작한 건 1961년 8월 13일의 일. 동독이 쌓기 시작한 이 장벽은 서베를린을 동베를린과 주변 동독 지역으로부터 완전히 고립시켰다. 콘크리트로 축조된 장벽을 따라 곳곳에 감시탑이 설치됐는데 동독 정부는 이 장벽을 '반파시즘 방어벽'

이라는 이름으로, 서독 정부는 '수치의 벽'이라는 이름으로 불렀다. 1961년부터 1989년까지 5000여 명이 이 벽을 넘어 탈출을 시도했고, 그 가운데 100명에서 200명가량이 목숨을 잃은 것으로 추정된다고 한다.

베를린을 동서로 나누는 장벽의 길이는 43km, 서베를린 외곽 장벽은 156km에 달했던 것으로 전해진다. 우리가 흔히 알고 있는 장벽은 시간이 흐르면서 개량된 '제4세대 장벽'으로, 높이는 3.6m, 폭은 1.2m였으며, 감시탑은 116개소, 벙커는 20개소에 달했다고 한다. 공식적으로 국경을 횡단할 수 있는 장소는 모두 9곳이었다고 하는데, 이 가운데 가장 유명한 곳이 현재 관광지로 남아있는 체크포인트 찰리(찰리검문소)다.

독일 분단의 흔적. 체크포인트 찰리와 체크포인트 찰리에 서 있는 표지판

베를린에서 가장 인상 깊었던 두 장소는 체크포인트 찰리와 이스트 사이드 갤러리에 남아있는 베를린 장벽이었다. 체크포인트 찰리 바로 옆엔 박물관이 있는데, 동독을 기상천외한 방법으로 탈출했던 동독 주민들의 생생한 사례와 관련 자료를 전시하고 있다. 여행가방에 몸을 구겨 넣었던 사람, 차를 개조해서 검문소를 정면 돌파했던 사람, 허술하기 짝이 없는 보트를 타고 바다를 향해 나간 사람, 심지어 열기구를 이용한 사람까지… 자유를 갈망했던 동독 주민들의 처절하고 절박했던 심정은 사진으로, 기사로, 모형으로 이 박물관에 고스란히 남아있다. 박물관 곳곳에선 'free', 'freedom'이란 단어가 자주 눈에 띄었다.

베를린 장벽은 현재 철거됐지만 이스트 사이드 갤러리엔 아직 장벽의 흔적이 남아있다. 이스트 사이드 갤러리란 이름은 슈프레 강을 따라 강변을 두르고 있던 장벽에 세계 각국의 미술가들이 세계 평화를 기원하며 각종 그림을 채워 넣은 데서 유래했다. 이스트 사이드 갤러리를 따라 천천히 거니는데, 세계 각국의 언어로 적힌 낙서 가운데 다음과 같은 문장이 눈에 들어왔다. "FUCK YOU. I WON'T DO WHAT YOU TELL ME!(엿이나 먹어. 난 네가 하란 대로 하진 않을 거야!)" 미국의 록 밴드 '레이지 어게인스트 더 머신'의 노래 'Killing in the name'의 가사였다. 적힌 지 꽤나 오래된 듯한 그 영어 낙서를 들여다보며… 자유란 개념이 어쩌면 이리도 간단한 것일 수 있겠구나… 하는 생각을 했다.

FUCK YOU
I WON'T DO WHAT
YOU TELL ME!

베를린 여행을 마치고 프라하로 달리는 기차 안에서 가수 신해철의 사망 소식을 접했다. 중고등학교 시절, 새벽녘까지 공부를 하며 그의 라디오 방송을 자주 접했다. 냉소적이고 세상만사를 아니꼽게 보던 사람이었지만, 라디오 방송은 미치도록 웃겼다. 혼자 새벽에 그의 라디오 방송을 듣다가 어느새 샤프펜슬을 놓고는 소리죽여 낄낄대던 때가 한두 번이 아니었다. 예의나 형식 따위는 무시한 채 그야말로 자기 멋대로 하는 방송이었는데, 도대체 이런 정신 나간 방송이 어떻게 전파를 타고 전국에 송출될 수 있는지 의아해했던 기억이 난다.

그런 그가 죽고 나자 인터넷 세상은 애도의 물결로 가득하다. 그 덕분에 나는 라디오 방송을 듣던 기억을 소환할 수 있었다. 더불어 '신해철의 음악도시' 마지막 방송 클로징 멘트에 대해서도 알게 됐다. 그 멘트를 읽으며 그가 실은 어떤 사람이었을지 새삼 생각하게 됐다. 내 기억이 맞다면 '고스트 스테이션' 진행 당시, 그는 투병 중인 부인을 간호하기 위해 집에서 방송을 진행한 적이 있다. (신해철은 삐딱한 사람답게 결혼에 대한 거부감이 심했는데, 부인이 암 투병을 하고 있다는 사실을 알게 되자 서둘러 결혼을 한 사람으로 알려져 있다.) 그날 방송도 한 마디로 요약해 미치도록 웃겼는데, 당시 나는 '고스트 스테이션'이라는 방송 제목과 부인의 암 투병, 그리고 이 미친 웃긴 이야기가 어떻게 한데 어울릴 수 있는 건지 황당했다.

뜬금없이 신해철 이야기를 하는 이유가 있다. 그의 죽음으로 인해 새삼 돌이켜 본 그에 대한 기억 속에서, 또 새롭게 알게 된 '신해철의 음악도시' 마지막 방송 클로징 멘트 속에서 이 시대에 추구해야 할 자유의 단면을 본 것 같은 기분이 들어서다. 이데올로기의 종언이 선언된 시대. 외형적으로 우린 자유를 누리고 살고 있는 것 같지만, 실은 그렇지 않다는 걸 문득 느끼게 됐다. 이데올로기의 '대립'은 사라졌지만, 분명 어떤 이데올로기는 여전히 건재하다. 특히 '신해철의 음악도시' 마지막 방송 클로징 멘트로 미뤄보건대 삐딱한 사람 신해철은 그 이데올로기의 억압 속에서 자유란 무엇인지에 대해 나름대로의 답을 내리고, 그에 따라 나름대로의 선택을 하며 살아간 사람이었던 것 같다. 다음은 '신해철의 음악도시' 마지막 방송 클로징 멘트.

여러분, 우리는 음악도시의 시민들입니다.

매일 밤 12시에 이 도시에 모이는 우리들은 사실 외형적인 공통점은 그다지 없습니다. 직업, 거주 지역, 성별, 주위 환경 이런 게 다 달라요. 그냥 우리 공통점은 단 하나. 우리가, 글쎄요. 제가 생각했을 때는 아직 꿈을 가지고 있는 사람들이고, 그래서 남들이 우리를 푼수라고 부를 가능성이 아주 농후하다는 거죠.

저는 '왜 사는가'라는 질문에 대답을 하고 싶어서, 그 사춘기적인 우쭐함(지금 생각했을 땐 그런데요) 그런 걸로 철학과를 건방지게 진학을 했었고, 근데 학문에는 재주도 없었고, 가보니까 그런 게 아니었고… 해서 '왜 사는가'라는 질문에 그 대답을 포기하고 그냥 잊고 사는 게 훨씬 더 편하다는 걸, 그런 거만 배웠습니다. 그리고 음악도시를 그만두는 이 시점에 와서야 그 질문에, '왜 사는가'라는 질문에 자신 있게 이제는 대답을 할 수 있게 된 거 같아요.

그 대답은, 우린 왜 사는가 하면 '행복해지기 위해서'라는 겁니다. 아, 뭐 자아실현, 이런 거창한 얘기 말고 그냥 단순무지무식하게 얘기해서 행복하게 되기 위해서… 그리고 우리가 찾고 있는 그 행복은 남들이 '우와~' 하고 막 바라보는 그런 빛나는 장미 한 송이가 딱 있어서가 아니라, 이게 수북하게 모여 있는 안개 꽃다발 같아서 우리 생활 주변에서 여기저기에 숨어있는 고 조그만 한 송이 한 송이를 소중하게 관찰하고 주워서, 모아서, 꽃다발을 만들었을 때야 그 실체가 보이기 시작합니다.

우리가 음악도시에서 나눈 얘기들은 정치, 경제 토론도 아니었구요. 그냥 가족, 학교, 꿈, 인생 얘기였고, 인류애나 박애정신 그런 게 아니라요 부모, 형제, 친구들, 뭐 실연, 첫사랑 이런 얘기였잖습니까. 이 하나하나가 작은 그 안개꽃송이였던 거고 우리가 이미 갖고 있는 행복인거죠. 우리는 은연중에 그런 것들을 무시하도록 교육을 받구요. 더 나아가서 세뇌를 받고 자꾸만 내가 가진 것을 남들하고 비교를 하려고 그럽니다.

근데 자꾸 비교를 하면서 살면 결국 종착역도 안식도 평화도 없는, 끝없는 피곤한 여행이 될 뿐이구요. 인생살이는 지옥이 될 거라고 생각해요. 인생이 여행이라고 치면, 그 여행의 목적이 목적지에 도착하는 게 아니라 창밖도 좀 보고 옆사람하고 즐거운 얘기도 나누고 그런 과정이라는 거. 그걸 예전엔 왜 몰랐을까요.

많은 사람들의 이름하고 목소리가 떠오릅니다. 우리 꿈 많은 백수, 백조들.. 제가 얼마나 백수들을 사랑하는지. 또 왕청승 우리 싱글들, 발랑 까진 고딩들, 자식들보다 한술 더 뜨던 그 멋쟁이 푼수 부모님들, 또 '여자친구의 완벽한 노예다'라고 자랑하던 그 귀여운 자식들, 그리고 속으로는 속마음은 완전히 학생들하고 한패인 그 선생님들, 아이스크림 가게의 아저씨, 또 청춘이 괴로운 군바리. 음악도시가 자리를 잡고 나니까 신해철이 아니라 여러분들이 많은 사람들에게 화제거리가 됐었구요. 여러분들이 바로 나의 프라이드고 자랑이고 그랬어요.

자… 이 도시에서 우리는 '혹시, 혹시 남들도 나 같은 생각을 하고 있는 사람들이 조금 있지 않을까'라고 조마조마해 하던 것들을 사실로 확인했잖습니까, 이 도시에서. 우리 국가와 사회를 현재 지배하는 이데올로기 있죠. '인생은 경쟁이다' '남을 밟고 기어 올라가라' '반칙을 써서라도 이기기만 하면 딴 놈들은 멀거니 쳐다볼 수밖에 없다' '미래를 위해 현재를 반납해라' '인생은 잘 나가는 게 장땡이고, 자기가 만족하는 정도보다는 남들이 부러워해야 성공이다' 이런 논리들이요.

우리는 분명히 그걸 거절했었습니다. 이 곳은 우리들 마음속에만 존재하는 가상의 도시구요. 현실적으론 아무런 힘이 없어 보이지만 '우리랑 같은 사람들이 있다'라는 걸 확인한 이상… 언젠가는 경쟁, 지배, 이런 게 아니라 남들에 대한 배려, 우리 자신에 대한 자신감, 이런 걸로 가득한 도시가 분명히 현실로 나타날 거라고 믿어요.

잘나가서, 돈이 많아서, 권력이 있어서가 아니라 자기 자신에게 부끄럽지 않은 사람이 된다는 거… 그렇게 된다면 우리는 대통령도 재벌도 우리랑 비교할 필요가 없을 거구요. 여러분들이 그 안개 꽃다발, 행복을 들고 있는 이상 누구도 여러분들을 패배자라고 부르지 못할 겁니다. 여러분은 여러분 스스로에게는 언제나 승리자고 챔피언일 거거든요.

이 긴 클로징 멘트를 읽고 있는데, 불현듯 이스트 사이드 갤러리의 짧은 영어 낙서가 떠올랐다. 'FUCK YOU. I WON'T DO WHAT YOU TELL ME!' 그 짧은 영어 낙서도, 길고 긴 '신해철의 음악도시' 마지막 방송 클로징 멘트도… 결국엔 같은 이야기를 하고 있는 것 같았다.

05 진정한 용기

체코 프라하 & 체스키크룸로프

05
진정한 용기
체코 프라하 & 체스키크룸로프

질문 하나. 전쟁 중인 상황. 당신은 군인이다. 이번 작전 지역에서 아군은 처참하게 패배했다. 당신까지 포함해 가까스로 살아남은 아군 10명과 마을에서 함께 도망쳐 온 부녀자 2명은 적군의 추적을 피해 도망친 끝에 산자락의 어느 동굴에 숨어들었다. 쫓아온 적군의 제안이 전달된다. "여자들을 내놓아라. 그럼 나머지는 전원 살려주겠다." 적군은 이전에도 이런 식의 제안을 던진 적이 있고, 실제로 여자를 내놓으면 약속을 지켰다. 당신은 이 상황에서 어떡할 것인가.

1969년 1월 19일, 체코 프라하의 중심이라 할 수 있는 바츨라프 광장 맨 위쪽 국립박물관 앞에서 한 대학생이 자신의 몸에 불을 붙인다. 그 주인공은 바로 카를대 철학부에 재학 중이던 얀 팔라흐. 당시 그의 나이는 21세에 불과했다. 그가 분신이라는 끔찍한 방법으로 젊은 목숨을 끊은 까닭은 무엇이었을까.

체코는 기나긴 시간 동안 세 나라에게 차례로 지배를 받은 설움 많은 나라다. 먼저 1526년부터 1918년까지 무려 400여 년 동안 오스트리아 합스부르크 왕가의 지배를 받았다. 제1차 세계대전에서 오스트리아가 패배한 것을 계기로 극적으로 독립에 성공했지만, 곧 등장한 나치 독일에 의해 합병되면서 두 번째 지배를 받는다. 제2차 세계대전이 끝나며 드디어 다시 자유가 찾아오나 싶었으나, 상상도 못한 세 번째 지배자가 기다리고 있었으니 바로 소련. 체코가 이 세 번째 지배로부터 벗어난 지는 20년이 채 되지 않았다.

1968년, 소련은 체코에 피어난 탈(脫)공산체제 움직임인 '프라하의 봄'을 저지한다는 목적으로 군사적 침공을 감행했다. 당시 체코인들은 지도자 두브체크의 '비폭력 저항' 방침에 따라 체코로 향하는 이정표를 페인트로 칠해 가리는 등의 방법으로 소련의 침공에 대응했다고 한다.

얀 팔라흐는 소련의 침공에 저항한다는 뜻을 알리기 위해 자신의 몸에 불을 붙였다. 약 한 달 후인 1969년 2월 25일 또 다른 학생 얀 자이츠가, 1969년 4월엔 에브젠 플로첵이란 학생이 얀 팔라흐의 뒤를 따라 분신했다. 이들이 외친 구호는 '체코여, 다시 일어나라!'였다고 한다. 이들의 분신은 효과가 있었을까? 안타깝게도 즉효는 없었다. 오히려 소련은 체코를 더욱 강하게 억압했다. 체코의 독립은 이로부터 20여 년이 지나서야 이뤄지게 됐다. 그때 일어난 혁명의 별명이 바로 무혈(無血) 혁명으로 유명한 '벨벳 혁명'. 이때도 체코인들은 폭력을 행사하는 대신 꽃 한 송이를 들었다. 다행히 이 혁명은 성공했다.

바츨라프 광장 맨 위쪽 국립박물관 앞엔 얀 팔라흐와 얀 자이츠의 무덤이 있었다. 봉긋하게 솟은 보도블록 위에 십자가가 놓여 있었고, 그 위엔 꽃 몇 송이가 놓여 있었다.

바츨라프 광장 맨 위쪽 국립 박물관 앞에 마련된 얀 팔라흐와 얀 자이츠의 무덤

프라하 구시가지 광장 한 가운데에는 종교개혁가 얀 후스의 동상이 서 있다. 그는 카를대에서 신학과 문학을 배우고, 1398년 카를대 교수로 신학을 강의하였으며, 1401년 철학부장, 1402~1403년 학장, 1409년 총장직 등을 지낸 소위 엘리트였다. 동시에 성서를 유일한 권위로 강조하고, 고위 성직자들의 성직매매나 면죄부 판매 등 종교의 세속화를 강력히 비판했던 사람이기도 했다.

당시 로마 교회는 분열의 혼란 중에 있어서 한동안 얀 후스의 움직임을 묵인하고 있었으나, 1410년 피사 종교회의에서 선출된 교황 알렉산더 5세는 얀 후스에게 그간의 주장들을 철회하도록 명령했다. 이어 후임 교황인 요하네스 23세는 1411년에 얀 후스를 파문(破門)하기에 이른다.

그럼에도 얀 후스는 여전히 신념을 굽히지 않았다. 이에 로마 교회는 1414년에 콘스탄츠 종교회의에 얀 후스를 소환했다. 얀 후스는 고위 성직자들에게 자신의 주장을 이해시킬 수 있을 것이라고 생각했고, 당시 신성로마제국 황제인 바츨라프 4세의 동생 지기스문트가 안전을 보장했기에 거리낌 없이 콘스탄츠로 향했다.

그러나 얀 후스는 콘스탄츠에 도착하자마자 체포돼 감옥에 갇히고 고문을 당했다. 이어 그의 저서에서 '이단사상'이라고 지목되는 부분을 취소할 것을 요구받았으나 이를 거절, 결국 1415년 7월 6일 화형에 처해졌다. 우리에게 잘 알려진 종교개혁가 마르틴 루터가 태어나기 70여 년 전의 일이다.

프라하 구시가지 광장 한복판에 세워져 있는 얀 후스의 동상

블타바강을 동서로 가로지르는 프라하의 유명한 다리, 카를교 양쪽으로는 성서 속 인물과 체코의 성인(聖人) 등 30명의 동상이 서 있다. 이중 가장 유명한 것은 17번 동상과 19번 동상 사이에 서 있는 성 요한 네포무크의 동상이다. 요한 네포무크는 체코의 국민적인 성인으로, 1393년 바츨라프 4세에 의해 블타바강에 던져져 익사했다.

그의 죽음과 관련한 전설 하나가 전해진다. 당시 바츨라프 4세는 두 번째 부인인 소피 왕비가 바람을 피우고 있다는 의심에 사로잡혀 있었다. 그러던 어느 날 바츨라프 4세는 소피 왕비가 고해신부인 요한 네포무크에게 고해성사를 했다는 사실을 알게 된다.

이에 바츨라프 4세는 요한 네포무크에게 "소피 왕비가 무슨 고해를 했는지 말해보라"라고 요구했지만, 요한 네포무크는 "성스러운 고해의 비밀을 누설한다는 것은 하느님께서 엄히 금하시는 것"이라며 "모처럼 명하신 것을 순종치 못하는 것을 유감으로 생각한다"라고 거절했다. 심지어 왕이 "내게 소피 왕비의 고해 내용을 말할 수 없다면 다른 하나의 생명에게 말해 보라"라고 하자, 요한 네포무크는 옆에 있던 개의 귀에 대고 귓속말을 했다는 이야기도 있다. 결국 화가 머리끝까지 난 바츨라프 4세는 요한 네포무크의 혀를 자르고 몸을 묶어 블타바 강에 거꾸로 던져버렸다.

그런데 며칠 뒤 요한 네포무크의 시신은 전혀 불지 않은 채 강 위로 떠올랐다. 그것도 머리 위로 다섯 개의 별 모습을 한 광채를 뿜으면서 말이다. 이를 발견한 사람들은 요한 네포무크의 시신을 수습해 프라하 성(城) 내부의 비투스 대성당에 안치하고 성인으로 추앙했다고 한다.

요한 네포무크는 보통 왼손으로 입을 막고 있는 모습으로 묘사된다.

고해의 비밀을 누설하라는 강요를 당하고도 단호히 거절했기 때문이다. 때문에 그는 다른 사람으로부터 비방을 받은 사람들과 자신의 비밀을 고백한 사람들의 수호성인으로 여겨진다. 또 다리에서 강물에 빠져 익사한 탓에 다리의 수호성인, 혹은 수재민들의 수호성인으로 간주되기도 한다.

카를교에 서 있는 성 요한 네포무크의 동상

프라하에서 남서쪽으로 약 200km 떨어진 작은 도시, 체스키크룸로프에서도 요한 네포무크의 동상을 만날 수 있다. 역시 블타바강을 가로지르는 다리인 '이발사의 다리' 위에서다. 이 다리의 이름도 순하지만 용감했던 어느 한 체코인의 이야기에서 유래했다.

현재 이 다리가 걸쳐진 라트란 거리 1번지에는 과거 이발사의 집이 있었다. 당시 합스부르크 왕가 루돌프 2세의 아들은 정신질환이 있어서 요양을 하러 체스키크룸로프 성(城)에 왔다가 이 이발사의 딸을 보고 반해 결혼을 하게 됐다. 그러나 얼마 지나지 않아 이발사의 딸은 누군가에게 목이 졸려 죽은 채 발견됐다.

범인으로 가장 의심을 받은 이는 바로 정신질환을 알고 있던 남편, 루돌프 2세의 아들이었다. 그러나 광기에 사로잡힌 루돌프 2세의 아들은 오히려 마을 사람들을 한 명씩 계속 죽여 나갔다. "아내를 죽인 범인이 잡힐 때까지 멈추지 않겠다"며 말이다. 끔찍한 학살을 보다 못한 이발사는 자신이 딸을 죽인 범인이라고 거짓 자백을 했다. 그리고 결국 자신의 사위에게 죽임을 당하게 된다.

루돌프 2세의 아들이 벌이던 어리석은 처형은 결국 이발사의 희생 덕분에 중단됐다. 그 후 살아남은 사람들이 이발사를 추모하며 세운 다리가 바로 이발사의 다리라고 한다.

체스키크룸로프 성 꼭대기에서 바라본 마을 전경.
사진 우측 하단에 보이는 다리가 '이발사의 다리'다.

이발사의 다리 앞에서

다시 처음의 질문으로. 이 질문은 내가 고등학교 3학년 시절 받았던 질문이다. 당시 나는 이런 대답을 했던 것으로 기억한다. '여자들 스스로 선택하게 한다.' 그런 대답을 하면서도 딴에는 공리주의(功利主義·'최대 다수의 최대 행복'을 가치 판단의 기준으로 두는 사상)의 함정에 빠지지 않았다며 스스로를 대견스러워 했다. '어쩔 수 없으니 여자 2명을 적군 측으로 보내고 남은 10명이라도 목숨을 부지한다' 등의 대답을 하지 않았다는 소리다. 해법의 열쇠를 쥔 당사자에게 선택권을 준다는 나의 대답은 생각해 볼수록 썩 괜찮은 대답 같았다.

하지만 내게 질문을 던졌던 이로부터 돌아온 말은 내게 심한 부끄러움을 안겼다. "여자들 스스로 선택하게 한다면, 과연 그들이 정말 솔직한 선택을 할 수 있을까? 오히려 책임을 여자들에게 미루는 더 비열한 선택 같은데… 여자들을 적군 측에 보내면 어떤 처지가 되리란 건 뻔한 일이잖아. 그렇다면 차라리 그 여자들과 최후까지 함께 하는 것이 맞는 선택 아닐까?" 함께 죽는 길을 택한다. 살길이 있어도 의로움을 위해 죽음을 택하는… 이른바 '희생'을 택한다. 그런 생각은… 미처 떠올리지 못한 게 사실이다. 당시 스스로를 자책했던 기억이 난다. '여자들 스스로 선택하게 한다'는 어이없는 대답을 하다니… 나는 대체 뭐가 문제지? 내가 받은 교육? 내가 듣고 자란 말들? 아님 나 자체?

체코에서 순하지만 용감했던 이들의 이야기를 연달아 접하는 동안 나는 자꾸만 그 시절의 그 대화가 떠오르곤 했다. 프라하를 나오는 길. 다른 사람을 위해 희생한 이를 기리고 기억하기 위해 무덤과 동상을, 또 다리를 도시 주요 지역 곳곳에 놓아두는 이 나라 사람들의 감수성을 상상해 봤다. 그 마음을 아무리 떠올려 봐도… 왠지 나에겐 먼 나라의 풍문처럼 희뿌옇게 다가왔다.

06 한 아이의 신발

폴란드 아우슈비츠-비르케나우 수용소

06
한 아이의 신발
폴란드 아우슈비츠-비르케나우 수용소

하늘이 맑고 높은 날, 아우슈비츠-비르케나우 수용소를 방문했다. 갈색 벽돌마다 눈부신 햇살이 가득했다. 가을이어서, 노랗게 마른 잎사귀들이 나무에서 떨어져 흩날렸다. 평화로운 풍경이었다. 아우슈비츠 수용소 내의 건물들은 마치 휴양지의 콘도처럼 한가롭게 줄지어 서 있었다.

그 건물들 안엔 인간의 야만성이 어디까지 나아갈 수 있는지를 보여주는 여러 가지 증거가 빽빽하게 들어차 있었다. 인간의 야만성은 새삼스러운 속성이 아니다. 인간은 인간에게 오랜 시간 동안 끔찍한 짓을 끝도 없이 반복해 왔고, 지금도 역시 마찬가지다. 그리고 아마 앞으로도 영원히 그럴 것이다. 나는 짧은 기자 생활을 하면서 이를 확신하게 됐다.

아우슈비츠 수용소 입구. 'ARBEIT MACHT FREI(노동이 너희를 자유케 하리라)'라는 기만적인 문구가 붙어 있다. 당시 이 문구를 설치했던 유대인 수감자들은 일종의 사보타주(sabotage)로 B자의 위아래를 뒤집어 놓았다고 한다. 뒤집힌 B자가 덧없어 보인다.

아우슈비츠 수용소 내에 전시된 유대인들의 소지품. 나치 독일은 이런 물품을 분별해 본국으로 보냈다. 재활용하기 위해서였다. 이 소지품의 주인들은 가스실에서 죽은 뒤 뒤섞여 소각됐다.

아우슈비츠-비르케나우 수용소에서 새삼 경악스러운 것은 인간의 야만성보다는 한 집단을 향한 인간의 증오심이다. 한 집단을 향한 증오심이 구체화될 때 어떤 일이 벌어지는지, 아우슈비츠-비르케나우 수용소는 말없이 증명하고 있었다.

수용소 안에서 기껏해야 6~7살 정도의 아이가 신었을 법한 신발을 봤다. 아이들은 효용 가치가 없다는 이유로 수용소 도착 즉시 모두 가스실로 직행했다고 하니, 아이가 죽기 직전 벗어둔 신발일 것이다. 아이가 죽어야 했던 이유는 명백했다. 유대인이었기 때문이다.

우리는 때때로 어느 한 집단을 향한 증오심과 마주한다. 주로 삶을 뒤흔들고 난타하는 세파(世波)가 거셀 때, 그런 증오심이 쑥쑥 자라난다. 그것은 어떤 나라에 대한 증오심이기도 하고, 어떤 지역에 대한 증오심이기도 하며, 어떤 계층에 대한 증오심이기도 하다. 그런데 듣다보면 마냥 헛소리 같아 보이지가 않는다. 가만 보면 그 증오심은 나름의 논리와 이유를 탄탄하게 갖추고 있다. 그 논리와 이유는 사료일 때도 있고, 통계일 때도 있으며, 증언일 때도 있는데, 천천히 살펴보다보면 정말로 그럴듯해 고개가 끄덕여질 때가 있다.

살아가면서

바로 그런 순간이 찾아올 때마다

나는 이날 아우슈비츠 수용소에서 본 한 아이의 신발을 떠올리자고 생각했다. 수용소에 도착해 영문도 모른 채 신발을 벗고, 샤워를 하는 줄만 알고 가스실로 들어가 싸이클론 비를 들이켜야 했던 한 아이가 있었음을. 유대인이기 이전에 개별적이고 구체적인 한 명의 인간으로서, 철저하게 혼자만의 고통 속에 비참하게 죽어갔을 그 아이의 운명을 떠올리자고 말이다. 세파로 인한 피로와 피곤이 집단을 향한 증오심으로 자라났기 때문에, 단지 그 때문에 죽어야만 했던 그 아이의 운명 앞에서… 유효한 논리와 이유는 아무리 생각해도 없다.

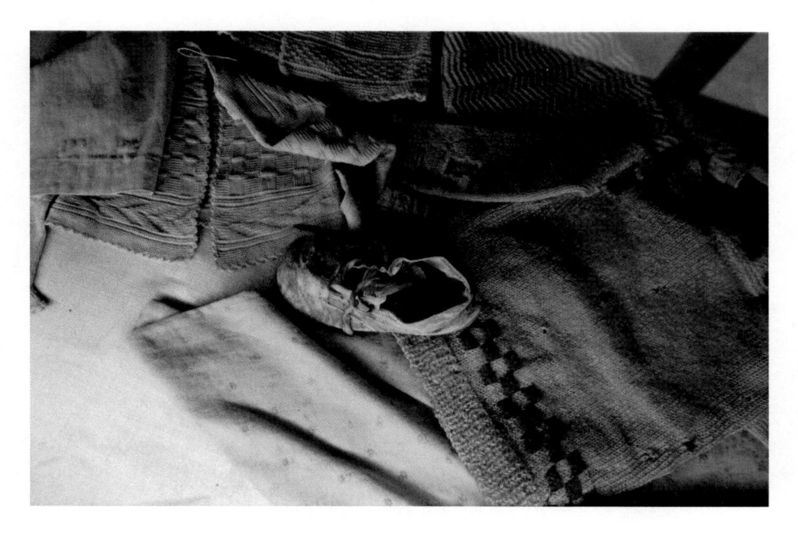

한 아이의 신발

07 모든 게 조금씩 빛을 바래도

폴란드 크라쿠프 & 바르샤바

07
모든 게 조금씩 빛을 바래도
폴란드 크라쿠프 & 바르사뱌

하늘을 향해 높이 뻗은 나무들 사이로 햇빛이 사선을 그리며 내려왔다. 빽빽하고 무질서하게 늘어선 비석들은 오히려 자연스러워 아늑해 보였다. 노랗게 빛바랜 낙엽이 묘마다 이불처럼 덮여 있었다. 크라쿠프 구시가지 광장 남동쪽에 위치한 유대인 지구 카지미에시의 유대인 공동묘지에선 자연이 인간의 죽음을 보듬는 듯했다. 죽음이란 숙명 앞에서 인간이 느낄 수밖에 없는 격한 슬픔이, 이곳에선 전부 순하게 풍화(風化)할 수 있을 것만 같았다.

기억의 밀도와 선명도는 투입한 시간과 정비례하지 않는다. 나는 그 사실을 회사 생활을 시작한 뒤 절감했다. '인생이란 당신이 숨쉬어 온 모든 순간들의 총합이 아니라, 당신의 숨이 멎을 것 같았던 순간들의 총합이다' 따위의 말이, 무엇을 의미하는지 더 생생히 느꼈다.

어지럽도록 행복한 순간들이 깜깜한 가운데서도 별처럼 점점이 박힌 과거와 달리, 회사에서 보낸 시간은 희뿌연 안개 같았다. 돌이켜보면 멍한 기분이 들곤 했다. 이렇게… 살아도 되는 걸까? 기억 소실에 대한 내 공포는 매우 큰 편이다. 나는 치매라는 병을 떠올릴 때마다 그 참혹함에 항상 전율이 돋곤 한다.

폴란드 여행 일정은 크라쿠프와 바르샤바를 합쳐 총 6일에 달했다. 애초에 아우슈비츠-비르케나우 수용소를 가보고 싶어 크라쿠프를 가기로 결심했고, '그래도 거기까지 간 마당에 수도(首都)는 들러야지' 하는 생각에 바르샤바를 목적지에 넣었다. 아우슈비츠-비르케나우 수용소는 울림이 있었지만, 나머지 주요 명소에선 별다른 감흥을 느끼지 못했다. 그래서 폴란드 여행에 대한 기억도 점점 안개에 휩싸여 가는 것 같다. 그런데 그 안개 속에서 홀로 빛나는 풍경이 있다. 바로 카지미에시 유대인 공동묘지의 풍경이다. 카지미에시 유대인 공동묘지에서 깊은 인상을 받은 후 유대교의 장

례문화가 궁금해 이스라엘문화원 홈페이지에서 관련 자료를 찾아 읽어봤다. 유대교에서는 화장(火葬)을 금하고 있다고 한다. 시신은 반드시 땅에 묻혀야 한다. 고인이 화장을 원했다 할지라도 이는 하나님의 뜻에 어긋난 것으로 간주하여 받아들여지지 않는다. 이는 창세기 3장 19절의 '너는 흙이니 흙으로 돌아갈 것이니라'와 신명기 21장 23절의 '그 시체를 나무 위에 밤새도록 두지 말고 당일에 장사(葬事)하여'에 근거한 것이라고.

매장을 고집하는 문화지만, 잘 알려져 있다시피 유대인들에겐 오랜 기간 자신들의 땅이 없었다. 남의 나라에서 유대인 지구라는 이름으로 조그만 땅을 얻어 쓰는 처지였다. 한정된 땅에 무한정 묘를 쓰기란 현실적으로 불가능하니, 묘 위에 다시 묘를 쓰는 방식으로 묘지를 관리했다. 하지만 비석을 땅 속에 세울 수는 없는 노릇. 유대인 공동묘지 대부분이 비석으로 빽빽이 들어차 있는 이유다.

사실 이보다 더 유명한 유대인 공동묘지는 프라하의 유대인 지구에 있다. 유럽에서 가장 오래된 유대인 공동묘지로, 1478년 처음 유대인 묘지로 조성된 이후 1787년 묘지가 폐쇄될 때까지 프라하에서 유일하게 유대인 매장이 허용됐던 장소다. 약 200평 면적에 1만 2000여 기에 달하는 비석이 빽빽이 들어차 있는데, 많게는 밑에서부터 12층까지 포개어 매장한 곳도 있어 실제로는 10만 명이 넘는 유대인이 묻혔을 것으로 추정되고 있다. 하지만 프라하에서 이곳을 찾았을 당시엔 문을 닫아 들어가 보지 못했다. 제대로 보지 못했으니 기억에도 제대로 남았을 리 없다.

카지미에시 유대인 공동묘지에서 발견한 영어 글귀 적힌 비석

카지미에시 유대인 공동묘지를 둘러보다가 영어 글귀가 적힌 비석을 발견했다. 'M'이란 고인(故人)에게 'R'이란 사람이 보내는 글이었다. 1997년 5월 19일이란 날짜가 비석에 새겨져 있었다. 내용이 다정하면서도 서러웠다. 영화 '이터널 선샤인'의 한 장면이 생각났다. 남주인공은 무너져가는 풍경, 그러니까 무너져가는 기억 앞에서 여주인공을 쳐다보며 묻는다. "이 모든 것들이 사라지게 될 거야. 어떡하지?" 기억을 지워주는 회사와의 거래는 끝난 상태다. 그는 뒤늦게 후회하며 간절히 묻는다. "어떡하지?" 여주인공은 무너져가는 풍경에서 눈을 떼지 않은 채 담담하게 답한다. "그냥 바라보자"라고. 남주인공은 그런 여주인공에게 눈을 서서히 뗀다. 그리고 여주인공과 함께 무너져가는 풍경을 바라본다. 비석에 적힌 문장 가운데 'The distance grows'란 구절과 'we shrink'란 구절에 자꾸만 눈이 갔다.

유대인과 유대교를 둘러싼 여러 박물지(博物誌)적 지식과 무관하게, 나는 그 비석 덕분에 카지미에시 유대인 공동묘지가 한층 더 좋아졌다. 묘지는 '모든 것은 변해가고, 모든 것은 잊혀진다'고 말하면서도… '세상엔 변하지 않는 그 무언가도 있다'고 말하는 것 같았다. 바르샤바를 떠나는 날, 체크아웃을 하고 숙소 앞 공원에서 노래를 들으며 오전 시간을 보냈다. 그러면서 바르샤바에 대한 기억은 어떤 걸 기록해야 하나 고민했다. 그때 듣게 된 노래가 에피톤 프로젝트(차세정) 2집 '낯선 도시에서의 하루'에 수록된 '우리의 음악'이다. 차세정은 노래한다. "모든 게 조금씩 빛을 바래도 / 우리가 함께 듣던 노래는 / 조금도 달라지지 않았어"

차세정의 통찰력 있는 가사에 탄복하다가… 문득 카지미에시의 유대인 공동묘지에서 발견한 영어 글귀 적힌 비석이 떠올랐다. 인간의 슬픔을 위로하는 자연의 모습은 매우 인상적이었다. 그러나 그 자연보다 더 인상적인 한 비석이 있었기에, 크라쿠프는 오래 기억될 도시로 남을 것 같다. 그리고… 희뿌연 안개에 휩싸일 뻔했던 바르샤바의 풍경은 '그대여 사랑을 미워하지는 마'라던 차세정의 목소리를 매개로 오랫동안 소환될 수 있을 것 같다. 기억은 때때로 사소한 것들을 매개로 각인된다. '맞다, 그렇게 각인되곤 하지….' 새삼 그런 생각이 들었다.

기억과 밀도와 선명도는 눈과 귀를 부지런히 놀리는 이들에게 주어지는 선물 같은 것일지도 모르겠구나…. 회의(懷疑) 대신 희망을 품고, 대신 부지런하게 살아야겠구나…. 바르샤바 쇼팽 공항에서 부다페스트행 비행기에 오르는 길, 이런 바람이 들었다. 조금도 달라지지 않을 것들, 오래도록 기억될 것들을 많이 발견할 수 있는 눈 밝고 귀 밝은 사람이 되고 싶다고.

08 이 도시가 만약 한 명의 사람이라면

헝가리 부다페스트

08

이 도시가 만약 한 명의 사람이라면 헝가리 부다페스트

부다페스트에 도착한 건 깜깜한 저녁이었다. 6인실인 숙소에 짐을 풀었다. 숙소엔 아무도 없었지만, 내 침대를 제외한 모든 침대가 폭격을 맞은 듯 어질러져 있었다. 방바닥엔 술병과 과자 봉지 등이 뒹굴었다. 당황스러웠지만 차분히 짐을 풀고 야경을 보러갈 채비를 했다. 기차 안에서 읽은 가이드북은 부다페스트를 '환상적인 야경으로 유명한 도시'라고 소개하고 있었다.

그때 서양 남성 2명과 서양 여성 3명이 함께 방으로 들어왔다. 술 냄새가 훅 끼쳤다. 반갑게 인사를 건넨 그들은 "우린 스테잇츠(States)에서 왔다"며 자기소개를 했다. 이 미국 젊은이들은 이런저런 질문을 던지더니 "오늘밤 계획은 무엇이냐"라고 물었다. "야경을 보러 갈 계획"이라고 답하자 그들은 약간 아쉬운 기색을 내비쳤다. "이따 보자"라는 말을 남기고 방을 나서 1층으로 내려왔다. 이국의 언어들이 뒤섞여 로비는 소란스러웠다. 1층에 위치한 바를 슬쩍 들여다보니 온갖 서양 젊은이들이 모여 떠들며 술을 마시고 있었다.

숙소를 나서 세체니 다리로 향하는 길 중간중간마다 옅은 지린내가 났다. 서양 젊은이 무리가 관광용 마차를 타고 광장을 질주하는 모습이 보였다. 알 수 없는 노래를 시끄럽게 합창하는 그들은 나를 보더니 손을 흔들었다. 나이 든 사람이나 동양인은 눈에 띄지 않았다.

그렇게 도착한 세체니 다리는 과연 야경으로 유명한 도시의 다리답게 번쩍이고 있었다. 다리 근처에 있는 사람들은 대부분 연인들이었다. 그들은 서로 포옹을 하고 키스를 했다. 그들 뒤로는 세체니 다리가, 부다 왕궁이, 마차시 성당이, 그리고 강변이 눈부신 빛을 발하고 있었다.

푸른 달빛 아래 빛나는 국회의사당

마치 스스로 빛을 발하는 듯한 세체니 다리엔 수없이 많은 조명이 설치돼 있었다. 가까이에서 그 조명을 들여다봤다. 빛이 눈을 찌를 듯 달려들었다. 눈이 부셔 표정이 저절로 찡그러졌다.

야경을 살펴보고 방으로 돌아오니 미국 젊은이 5명의 모습이 보이지 않았다. 잠을 자기 위해 샤워를 하고 나오자, 그제야 그들은 시끌벅적하게 떠들며 방으로 들어왔다. 그들은 다시 한 번 나에게 '오늘밤 계획'에 대해 물었다. 그들 뒤로 미국 젊은이 3명이 더 보였다. 양주와 맥주를 가득 들고 온 이들은 내가 "지금부터는 잠을 잘 계획"이라고 하자, 연습이라도 한 듯 다함께 "오~"라며 아쉬움의 탄식을 내뱉더니 술을 챙겨 다시 방을 나갔다. "좋은 밤!"이라는 말과 함께. 다음 날 아침 일어나보니, 이들은 고통스러운 표정을 한 채 잠에서 깨어날 줄 몰랐다. 샤워를 하고, 옷을 갈아입고, 나갈 채비를 마친 순간까지 그들은 끙끙대며 잠을 잤다.

낮에 본 부다페스트의 모습은 밤의 모습과는 전연 달랐다. 주황색 나트륨 조명이 사라지자 부다페스트의 모습은 회색빛으로 초라해졌다. 어제 저녁 길거리에 그렇게도 많던 젊은이들은 다 어디로 간 걸까. 무표정으로 종종걸음을 옮기는 사람들 사이를 지나 부다 왕궁에 올랐다. 부다 왕궁에서 내려다 본 도시의 모습 역시 어제 저녁의 그것이 아니었다. 부다 왕궁 밑에 촘촘하게 설치된 조명만이 어제의 야경을 간신히 상기시킬 뿐이었다.

낮에 본 부다페스트의 모습

개인적으로 부다페스트는 그다지 인상적인 도시가 아니었다. 지루한 마음에 인터넷을 통해 관련 정보를 검색해 봐도 야경을 예찬하는 목소리만 가득했다. '글루미 선데이'라든가 김춘수 시인의 시 '부다페스트에서의 소녀의 죽음' 등 부다페스트와 관련된 예술 작품이 있긴 했지만, 그다지 흥미롭지 않았다. 가이드북을 참고해 도시를 둘러보고 나니 서쪽 하늘로 해가 뉘엿뉘엿 넘어가고 있었다. 다시 부다페스트가 불을 밝힐 시간이다.

밤에는 유람선을 타고 야경을 다시 한 번 보기로 했다. 유람선을 타러 가기 전 숙소에 들르니, 잠에서 깬 미국 젊은이들이 '오늘밤 계획' 구상에 몰두 중이었다. 한 온천에서 여는 클럽 파티가 비싸다는 불평으로 시작한 '오늘밤 계획' 구상은 좀처럼 끝이 날 줄 몰랐다.

그러던 와중에 내게 "오늘밤 계획은 무엇이냐"라는 질문을 던지길래 "크루즈를 타러 갈 계획"이라고 답했다. 그들은 입을 모아 "멋진데?" 라고 말했지만, 진심으로 보이지는 않았다. 이날은 토요일이었다. 로비는 어젯밤보다 세 배는 시끄러웠다.

유람선에서 본 야경은 어제처럼 역시나 예뻤지만, 역시나 지루했다. 딱히 할 일이 없어 사진을 계속 찍었다. 같이 온 한국인 동행들이 있어 다행이라는 생각이 들었다. 혼자 왔다면 정말 심심했을 것 같았다.

부다페스트의 밤은 그날도 그렇게 깊어갔다. 다리와 건물은 번쩍이고 거리는 서유럽과 미국 등지에서 쾌락을 좇아 온 젊은이들로 시끄러웠지만, 나는 견딜 수 없이 지루했다. 부다페스트에 머무르는 사흘 동안 나는 인상 깊은 이야기나 마음속에 각인될 만한 풍경을 찾을 수 없었다.

부다페스트가 만약 한 명의 사람이라면 어떤 모습일까. 외양은 화려하고 늘 시끌벅적 신나 보여도 자세히 보면 무언가 텅 비어 보이는 그런 모습 아닐까…. 누군가는 그런 사람에게 호감을 느끼거나 경탄의 시선을 보내겠지만, 나는 아무런 매력을 느낄 수 없을 것 같았다. 그리고 나 또한 부다페스트 같은 사람은 되고 싶지 않다… 는 생각을 했다. 부다페스트에서의 마지막 날, 나는 아침 일찍부터 미련 없이 비엔나행 기차에 올랐다.

interlude #1.
미국 영어는 어려워

interlude #1. 미국 영어는 어려워

아… 어제는 힘든 밤이었다. 여행하는 동안 관광 영어에 익숙해지며 조금씩 영어에 대한 두려움을 무너뜨려가고 있었다. 음, 대충 다 알아듣네? 음, 대충 다 들리네? 좋아, 하고 체크인한 부다페스트의 한 호스텔 6인실엔 그들 표현으로 '스테잇츠(States)'에서 왔다는 미국 남자 2명과 여자 3명이 날 기다리고 있었다.

아…. 캘리포니아에서 왔다는 알렉스란 남자 녀석이 아시아인 성애자인지 질문을 겁나 던지는데… 처음엔 좀 천천히 하다가 곧잘 대답을 하니 내가 영어를 조금 한다 싶었는지 갑자기 에미넴이 된 것처럼 속사포 질문을 던진다. 못… 못 알아듣겠어….

조금 있다 보니 술병을 들고 미국 여자 3명이 추가 입장. 이에 알렉스 녀석이 나에 대해 장황하게 소개하다가 "좌니 허?"라고 내 이름을 왜곡하더니 "너 이름이 너무 어려운 거 같아. 그냥 존이라고 불러도 돼?"란다. "예스… 노… 노 프라블럼…"이라고 했더니만 여기저기서 "존" "존" 거리는데 돌아버리는 줄….

여행지를 묻길래 그동안 거쳐 온 도시를 하나씩 말하는데 하나 말할 때마다 "오~" "그레이트!" "쿨~"이라며 함성을 쏴대는 게 혹시 약을 한 사발씩 하신 건 아닌가 싶었음…. 씻고 나오니까 자기들끼리 방 안에 술판을 벌여놨는데 "존, 오늘밤 계획 있니?"라고 묻길래 지금부터 잘 거라니까 "오우~"라면서 술병을 다 싸서 나간다. 8명이 방을 나가면서 "굿나잇! 존!" 8연타를….

아… 미국 영어는 큰일 나는구나…. 큰 깨달음을 얻은 존은 새벽같이 깨서 씻고 울면서 호스텔을 뛰쳐나왔습니다. 슬피 우는 존과 부다페스트의 아침….

09 '비포 선라이즈'의 도시

오스트리아 비엔나

09
'비포 선라이즈'의 도시 오스트리아 비엔나

"How about you? Where are you going?"

"I'm going to Vienna."

오스트리아의 수도 비엔나는 내게 리처드 링클레이터 감독의 영화 '비포 선라이즈'로 기억되는 도시였다. 영화 속에서 두 주인공은 소통을 위해 영어를 쓰는데, 그 때문에 도시는 빈이라는 현지 명칭 대신 영어 명칭인 비엔나로 불린다. 비엔나에 도착한 나는 빈이라는 현지 명칭이 그래서 어색했다.

비엔나에 도착 후 이 영화의 촬영 장소부터 찾아다녔다. 영화가 세상에 태어난 지 20여 년이 흘렀지만, 그 기간 동안 영화 속에 등장했던 도시의 모습은 거의 변한 게 없었다. 작은 다리도, 낡은 트램도, 허름한 레코드 가게도, 고풍스런 카페들도 여전히 그 자리에 그대로 남아있었다.

"This is a nice bridge."

신형 트램과 함께 여전히 도로 위를 달리고 있는 구형 트램

손금점을 보던 '클라이네스 카페(KLEINES CAFE)'

페미니즘을 두고 격론을 벌이며 걷던 거리

"고향을 모르듯 목적지를 알지 못해요. 강물에 떠가는 나뭇가지처럼 흘러가다 현재에 걸린 우리."

"Ring, Ring." 전화 놀이로 서로의 마음을 고백하던 '카페 슈페를(CAFE SPERL)'

"이 시간을 우리가 만들어낸 것 같아."

20여 년 전 영화 속 모습 그대로 멈춰있는 듯한 비엔나. 그렇다면 비엔나를 수도로 삼고 있는 오스트리아는 발전을 추동(推動)할 경제력이 부족한 나라일까. 그렇지 않다. 오스트리아의 2014년 기준 1인당 국민소득은 약 5만 1000달러(세계 11위)에 달한다. 같은 시점에 약 2만 9000달러인 우리나라(세계 29위)의 약 2배에 달하는 수치다.

비엔나의 거리를 걷다가 소설가 고(故) 박완서의 소설집 '그 산이 정말 거기에 있었을까' 속 작가의 말이 떠올랐다.

"불도저의 힘보다 망각의 힘이 더 무섭다. 그렇게 세상은 변해 간다. 나도 요샌 거기 정말 그런 동산이 있었을까, 그 기억을 믿을 수 없어질 때가 있다. 그 산이 사라진 지 불과 반년밖에 안 됐는데 말이다."
"이 태평성세를 향하여 안타깝게 환기시키려다가도 변화의 속도가 하도 눈부시고 망각의 힘은 막강하여, 정말로 그런 모진 세월이 있었을까, 문득문득 내 기억력이 의심스러워지면서, 이런 일의 부질없음에 마음이 저려 했던 것도 쓰는 동안에 힘들었던 일 중의 하나이다."

우리나라, 그 중에서도 수도인 서울의 변화 속도는 그야말로 눈부시다. 그래서 망각의 힘 또한 막강하다. 이십대가 되어 1990년대 초반 서울의 사진을 보며 흠칫 놀랐던 기억이 난다. 매일 서울 거리를 쏘다니면서도 환기되지 않던 유년의 추억, 그리고 그 당시 어린 나를 품고 있던 서울의 풍경이… 그때서야 간신히 떠올랐다. 장소가 사라질 때 사라지는 것은 비단 장소뿐만이 아니다. 장소에 서려있는 우리의 기억 또한 마찬가지다.

비엔나를 떠나는 날, 1873년 처음 문을 열어 지금까지 영업 중인 '카페 란트만(Cafe Landtmann)'에서 커피를 마셨다. 심리학자 지그문트 프로이트도 즐겨 찾았던 카페라고 한다. 스마트폰과 연결된 이어폰에서 김현철의 노래 '춘천가는 기차'가 흘러나왔다. 그러고 보니 청량리역 구(舊) 역사도, 경춘선 무궁화호도 모두 사라졌지…. 문득 오래도록 이대로 남아있을 것만 같은 비엔나에게 나는 괜히 고마워졌다.

6

영화 '비포 선라이즈'에 등장했던 음반 가게 'ALT & NEU'엔 영화와 관련된 비밀이 몇 가지 숨어있다. 가게 주인 크리스토프는 "영화에서 등장했던 음반, 그러니까 캐스 블룸(Kath Bloom)의 'Come here'가 수록된 음반이 있느냐"라는 내 질문에 "그런 음반은 애초에 세상에 발매된 적이 없다"라고 답했다. 이어 "해당 레코드판과 표지는 리처드 링클레이터 감독이 오직 영화를 위해 만든 것"이라고 덧붙였다. 크리스토프가 손가락으로 가리킨 벽면엔 영화 속에 등장했던 바로 그 표지가 붙어 있었다. 표지를 보자마자 'Come here'의 멜로디와 가사가 떠올랐다. "There's a wind that blows in from the north. And it says that loving takes this course. Come here Come here….(북쪽에서 부는 바람이 속삭여요. 사랑은 정해진 길이 있다고. 이리로 와요 이리로 와요….)"

리처드 링클레이터 감독이 영화를 위해 만들었다는 표지

크리스토프는 이야기를 이어갔다. "영화 속에서 주인공들이 'Come here'를 들었던 음악 감상실도 임시적으로 만들었던 것"이란다. 그는 영화 속에서 음악 감상실이 있던 문 쪽으로 안내하더니 "열어보고 싶으면 열어보라"라고 했다. 문을 열자 천장이 뚫린 마당 같은 공간이 나왔다. 크리스토프는 두 손으로 바닥을 향해 열심히 작은 사각형을 그렸다. "딱 이만한 크기로 만들었었지. 영화 찍고 나선 다시 철거했어." 세상에 없는 블룸의 음반, 그리고 영화를 위해 잠시 태어났다 사라진 음악 감상실이 나는 마음에 들었다. 리처드 링클레이터 감독은 자신만의 작은 세계를 창조하는 데 완벽히 성공한 듯 했다.

영화 속에선 오른쪽 뒤편으로 보이는 문이 음악 감상실로 들어가는 문이었다.

음악 감상실이 있었던 곳의 문을 열면 이처럼 천장이 뚫린 공간이 나온다.

크리스토프의 설명을 들으며 '예술가는 작은 신(神)'이라는 생각이 들었다. 예술가들은 모두가 공유하는 이 세계 속에 자신만의 또 다른 작은 세계를 창조해낸다. 그들은 자신이 받은 비범한 인상(印象)을 영상과 음악과 그림과 글로 풀어내며 그 작은 세계를 꾸며간다.

벨베데레 궁(宮)에 작품이 전시된 화가들 중엔 요셉 도브로우스키(Josef Dobrowsky)란 20세기 초반에 활동한 오스트리아 화가가 있었다. 그가 했다는 말이 벽에 영어로 적혀 있었다. 그 문장은 예술가와 범인(凡人)이 나뉘는 지점을 정조준하는 듯 했다. "경험은 모두 객관적이다. 반면 느낌은 순수하게 주관적이다."

비엔나엔 작은 신처럼 느껴지는 예술가들이 많았다. '황금빛 화가' 구스타브 클림트, '에로티시즘의 거장' 에곤 실레, '자연과 곡선을 사랑한 건축가' 훈데르트바서…. 이들의 그림과 건물엔 각자의 고집과 철학이 깊게 배어있었다. '이들의 작품은 그 어떤 다른 작품들과도 한 번에 구분될 수 있겠구나' 하는 생각이 들었다. 신념과 확신에 찬 사람을 그다지 좋아하지 않는 편인데 이들의 예술적 신념과 확신 앞에선 왠지 마음이 무너져 내렸다. 자신만의 작은 세계를 창조해 나가고자 할 때 반드시 필요한 게 있다면 바로 예술적 신념과 확신이 아닐까.

훈데르트바서가 건축한 '훈데르트바서 하우스'(왼쪽)와 '쿤스트 하우스 빈'(오른쪽)

예술의 도시라는 비엔나에서 나는 작은 신들의 마음속을 상상해봤다. 예술가들이 하나의 작품을 완성한 후 느낄 감정을 상상하는 일은 아득했다. 하나의 작은 세계를 창조해낸 뒤 느끼는 감정이란 과연 어떤 것일까. 궁금함 사이로 '나도 언젠가는 나만의 무언가로 나의 작은 세계를 창조하는 사람이 될 수 있었으면 좋겠다'는 바람이 두둥실 떠올랐다.

그 바람을 이루는 데 견지해야 할 태도는 무엇일까…. 그런 생각을 하는데, 벨베데레 궁 벽면에서 봤던 또 다른 하나의 문장이 떠올랐다. 벨베데레 궁에선 프랑스 화가 클로드 모네의 특별 전시회도 열리고 있었는데, 그는 이런 말을 남겼다고 한다. "내게 대상 그 자체는 중요하지 않은 요소다. 내가 그려내고 싶은 건 대상과 나 사이에 있는 그 무언가다."

interlude #2
Target Acquired

interlude #2. Target Acquired

아침에 비엔나 슈테판 성당 앞을 지나가는데 서양 여자애들 4명이 날 둘러싸더니 영어로 뭐라뭐라 말을 한다. 약간 위협감을 느끼고 "쏘리?"라고 하니 다시 말을 해주는데… '너랑 같이 셀피(selfie.셀카)를 찍고 싶은데 괜찮겠니?' 뭐 그런 요청이었다. 그래서 "아 셀피 찍자고? 그래 찍자" 하면서 가방과 겉옷 주머니를 움켜쥐었다. 소매치기단일지도 모른다는 불안감이 엄습했기 때문이다.

그러나 소매치기에 대한 내 걱정과 달리 이 친구들은 각자 스마트폰으로 열심히 사진을 찍더니 고맙다고 할 뿐이었다. 그래서 나도 내 스마트폰으로 한 장 찍자고 해서 사진을 찍었다. 작별인사를 한 뒤 다시 한 번 지갑, 스마트폰, 여권, 카메라를 체크해 봤으나 모두 제자리에 있다. 이 아이들은 왜 나한테 사진을 찍자고 했을까?

여러 추측 끝에 나는 세 가지의 가설을 세웠다.

1. 중국인 성애자다.

2. 케이팝 팬이다.

3. 아시아인 전문 인신매매 조직의 하부조직원이다.

그런데 생각할수록 3번 같다. 타겟 어콰이어드(Target Acquired) 된 듯….

현재 내 위치는 '비포 선라이즈'에서 제시와 셀린느가 손금점을 보던 클라이네스 카페다. 내가 이후 오랫동안 기별이 없거든 범인은 재네들이야. 인터폴에 신고 부탁해…. (다행히도 인신매매를 당하는 일은 벌어지지 않았다.)

10 비정상과 비상식 사이

독일 노이슈반슈타인 성

10

비정상과 비상식 사이
독일 노이슈반슈타인 성

"와… 진짜 제정신이 아닌 놈이었나 보네…."

너른 평야와 강산을 지나쳐 마침내 성이 눈에 들어왔을 때, 나도 모르게 혼잣말이 흘러나왔다. 성은 생각보다 더 험준한 절벽 위에, 생각보다 더 커다란 크기로 떡 하니 자리 잡고 있었다. 독일 퓌센에서 동쪽으로 5km 정도 떨어진 곳에 위치한 노이슈반슈타인 성 이야기다.

이 성은 디즈니 사(社)가 디즈니 성(城)의 모델로 삼은 것으로 유명하다. 성을 지은 사람은 바이에른 왕국의 4대 국왕인 루드비히 2세. 그는 바그너의 오페라 '백조의 기사 로엔그린'과 '탄호이저'에 심취한 나머지 그 무대인 중세 기사의 성을 현실 속에 구현하기 위해 이 성을 지었다고 전해진다.

성 외부와 내부도 충분히 설화적이었지만, 성을 둘러싼 풍경은 아예 서사를 위해 마련된 빈 도화지 같았다. 산과 계곡이 있고, 호수와 평야가 있는 곳. 노이슈반슈타인 성에서 밖으로 보이는 풍경에선 당장이라도 중세 기사의 이야기가 펼쳐질 것만 같았다. 도시로부터 떨어진 깊은 자연은 그가 구현하고자 했던 성이 자리 잡기에 더없이 적합해 보였다.

노인슈반슈타인 성에서 내려다본 풍경. 오른쪽으로 호엔슈방가우 성이 보인다.

루드비히 2세에 대한 세간의 평은 예나 지금이나 박하다. 미치광이, 몽상가, 자격미달의 군주…. 루드비히 2세를 겨냥하는 수식어들은 하나같이 그를 비정상으로 간주한다. 내가 처음 성을 보고 내뱉은 혼잣말만 해도 그랬다. 나는 그를 '진짜 제 정신이 아닌 놈'이라 지칭했다.

그러나 성을 둘러보는 동안 '비정상'은 그를 표현하는 단어로 온당치 않다는 생각이 들기 시작했다. 차라리 '비상식'이란 단어가 합당하지 않을까. 그는 확실히 상식적인 군주는 아니었다. 군주라면 마땅히 신경 써야 할 것들에 무신경했고, 군주가 굳이 신경 쓰지 않아도 될 것들에 너무 집착했다. 군주라면 취해야 할 상식적인 행보는 외면한 채, 자신이 하고 싶은 것만 밀어붙이는 인간이었다.

물론 루드비히 2세 말고도 자기 하고 싶은 것만 밀어붙이는 군주는 많았다. 그러나 이런 군주들 대부분은 무언가를 자신의 지배 아래 두겠다는 권력적 욕구를 표출한 사람들이다. 반면 루드비히 2세는 자신만의 세계를 창조하고 싶다는 '신(神)적 욕구'를 구체화한 사람이다. 그의 신적 욕구는 확실히 비상식적이긴 하다. 그러나 비정상으로까지 치부될 만한 이유는 또 딱히 뭐란 말인가.

성의 안팎에는 수많은 사람들이 바글거렸다. 루드비히 2세를 '비정상'으로 간주하는 세계에 사는 사람들이자, 동시에 바로 그가 남긴 성을 보러 먼 길을 온 사람들이었다. 성이 위치한 작은 마을 슈방가우와, 그곳에서 얼마 떨어져 있지 않은 도시 퓌센은 루드비히 2세가 세운 성 덕택에 먹고 사는 듯 보였다. 그를 비정상이라 칭하는 이 세계의 우리는 어떤 욕구를 갖고 있는가. 또 세상엔 얼마만큼의 기여를 하고 있는지…. 거대한 성 앞에서, 나는 내 인생이 너무나 마이크로(micro)하고 소프트(soft)한 것 같아 약간 쓸쓸해졌다.

interlude #3
고마운데… 나는 코리안이야

interlude #3. 고마운데… 나는 코리안이야

뮌헨의 숙소에서 샤워를 하다가 스마트폰을 떨어트려 액정이 깨졌다. 오늘 아침 일찍부터 수리점을 찾았다. 수리점은 온갖 스마트폰을 취급하는 업체로, 초등학교 때 가던 구멍가게 크기의 절반 정도 크기였다. 빵을 오물거리면서 커피를 홀짝이던 주인은 내 간절한 표정과 스마트폰을 번갈아 보더니 슈어 슈어 아이 언더스탠드 유라며 스마트폰 액정을 꺼내왔다. 그런데 네 폰은 하얀색이고 이건 검정색인데 괜찮겠니? 야 인마 그걸 말이라고 하냐? 슈어 슈어 아이 언더스탠드 유! 여긴 한국이 아니니까… 달마시안 리미티드 에디션 정도로 생각하지 뭐….

수리비용은? 내 질문에 갑자기 빵을 오물거리길 멈춘 주인은 아주 정확한 영어 발음으로 180유로를 불렀다. 생각보다 비싼 금액에 충격을 받은 내가 어… 원… 헌드레드… 왓? 이라고 하니 겸연쩍은 표정으로 찾으러 올 때 줘도 된단다. 2시간 후에 찾으러 와. 씨 유 댄!

그래도 유럽에서 당일에 고치는 게 어디냐 룰루 하면서 두 시간 후 찾아간 수리점…. 주인은 날 보더니 가게 안쪽에서 황망히 뛰쳐나왔다. 데어 아 섬 프라블럼스…. 야, 슈어 슈어 라더니 뭔 문제? 이게 겉모습은 같아보여도 네 스마트폰은 너희 나라용으로 출시된 거고 내가 가진 액정은 유럽용으로 출시된 거라 서로 호환이 안 돼. 야, 내가 뜯어보고 알았다. 미안해…. 이런… 야, 그러면 난 이거 뮌헨뿐 아니라 독일, 아니 유럽 어디서도 못 고치는 거니? 내 질문에 주인은 이렇게 답했다. 고칠 수야 있지…. 그런데 액정을 너희 나라에서 받아야 하니까 한 달 정도 걸릴 거야. 하루 만에 바로 고칠 수 있는 곳은 너희 나라, 그러니까 차이나밖에 없어.

….

야, 그래…. 어쨌든 친절한 설명 고마운데… 나는 코리안이야….

오우, 아임 쏘리….

댓츠… 오케이… 그럼 중고 스마트폰 살 수 있는 데나 좀 알려줘… 라고 물어 찾아간 곳에서 85유로를 주고 정체를 알 수 없는 구형 스마트폰을 샀습니다. 생각보다 많이 짜증나진 않는 게… 이것이 여행자의 마음인가 싶고 조금 느리긴 하지만… 어쨌든 해결했으면 됐지!

11 헐거운 풍경과 적막한 밤

스위스 루체른 & 인터라켄

11
헐거운 풍경과 적막한 밤
스위스 루체른 & 인터라켄

루체른–인터라켄으로 이어진 스위스 여행은 감탄의 연속이었다. 푸른 강과 눈 덮인 산, 초록빛 평야가 어우러진 풍경은 비현실적으로 느껴졌다. 띄엄띄엄 자리 잡은 건물 사이마다 싱그러운 자연이 눈부셨다.

스위스는 공간을 넓게 쓰는 사람들의 세상이었다. 적당한 간격을 둔 건물들이 순한 짐승처럼 엎드린 풍경은 빽빽하지 않고 헐거웠다. 풍경이 헐거워지자, 마음도 가벼워져 부풀어 올랐다. 패러글라이딩을 하며 내려다 본 인터라켄의 풍경은 탁 트여 있었다. 건물, 사람, 차… 모든 것이 빽빽한 서울에선 마음이 종종 물에 젖은 솜처럼 묵직해지곤 했다. 이곳에서라면 그런 일은 없을 것 같았다.

내가 접한 스위스의 풍경은 빽빽하지 않고 헐거웠다. 리기산을 오르내리며 마주친 풍경.

루체른에선 리기산에, 인터라켄에선 융프라우에 올랐다. 융프라우에선 열차를 타고 내려오다가 클라이네 샤이덱 역에서 내려 벵에른알프 역까지 걸어보기도 했다. 스위스의 고지대에 오르면 시야가 닿는 전 방위가 눈 덮인 산이어서, 경이로운 기분이 들었다.

융프라우에서 내려다본 풍경

스위스의 이런 아름다움은 밤이 되면 자취를 감췄다. 헐거웠던 풍경의 틈새마다 새까만 어둠이 내렸다. 인터라켄에서의 어느 밤, 산책을 하러 나갔던 기억이 난다. 밤거리를 걷는데 어둠이 차지한 공간이 너무 많아 먼 곳엔 전혀 목측(目測)이 닿지 않았다. 시각이 마비되자 청각이 예민해졌는데, 들리는 것 또한 아무것도 없었다. 그날 밤의 인터라켄은 그야말로 적막강산이었다.

그때 문득 서울의 밤거리가 생각났다. 여전히 빛나고 있는 네온사인의 잔상 아래서 경적을 울리며 지나가는 차들, 뿌연 헤드라이트 불빛에 비친 술 취한 사람들, 술집마다 새어나오는 시끄러운 목소리들…. 스냅사진처럼 떠오르는 서울의 조각 풍경들에 그리움이 배어 있는 것인지, 나는 조금 헷갈렸다.

interlude #4
Old Stephen and big head JK

interlude #4. Old Stephen and big head JK

"음… 정말 너무 큰데?"

걱정 말라던 '스페셜 파트너' 스테판은 머리를 긁적였다. 거봐, 내가 분명 작을 거라고 했잖아….

여기는 스위스 인터라켄. 어제는 패러글라이딩을 했다. 이날 오후 2시에 패러글라이딩을 하는 사람들 중 내 나이가 가장 많아서인지, 내 파트너도 나이가 가장 많은 사람이 배정됐다. "아임 스틸 스트롱 이너프"라고 알 수 없는 말을 하며 실실 웃는 흰 머리의 스테판이 바로 그.

넌 이름이 뭐니? 내 이름은 자경 허야. 좌컹… 왓? 그래… 발음이 어렵지… 유 캔 콜 미 저스트 제이케이. 오케이 제이케이. 여기 네 헬멧 있다. 음… 스테판, 이 헬멧은 나한테 작을 것 같은데? 아냐, 이 헬멧이 작아보여도 뒤쪽 끈을 아주 많이 늘릴 수 있어. 수많은 사람이 이걸 썼고 그 중 헬멧이 작았던 사람은 없었으니 걱정 마.

(약 1분 후)

“와… 제이케이, 너 정말 머리가 크구나!”

….

결국 스테판은 새로운 헬멧을 구해 건네줬고, 나는 그때부터 스테판으로부터 ‘빅 헤드 제이케이’로 불렸다. 동영상을 찍을 때도 “헤이, 코리안스~ 히어 위 아! 올드 스테판 앤 빅 헤드 제이케이!” 이런 구호를 외쳐서 날 슬프게 만들었다. 너 이 동영상 팔 생각은 있는 거니?

패러글라이딩은 생각보다 무섭지 않았다. 오히려 두둥실 떠다니는 느낌이 편안하고 아늑했고, 융프라우를 품은 인터라켄의 눈부신 경치를 내려다보는 느낌이 한가로웠다. 조용히 경치를 보다가 물었다. 스테판, 너 하루에 패러글라이딩 몇 번이나 하니? 윈터 시즌엔 보통 5번 정도 하는 것 같아. 오늘은 제이케이 네가 넘버 4야. 그럼 나 다음에 또 있어? 아니, 오늘은 너 내려주고 퇴근이다. 오, 축하해!

융프라우를 내려다보며 우리는 계속 이야기를 이어갔다. 제이케이, 왓 두 유 두 포 어 리빙? 넌 뭐하는데? 난 백수야. 기자였는데 관뒀어. 신문 기자? 응. 내년에 한국 가는데 새 직업 구해야 돼. 그렇구나… 기자는 터프한 직업이라고 알고 있어… 또 기자할거니? 아니, 기자는 안 할 생각이야. 그럼 뭐 할 건데? 글쎄… 아직 잘 모르겠다. 음… (뭔가 생각하는 스테판) 제이케이, 너를 위한 좋은 직업이 생각났다. 뭔데? 레포츠 전문 기자를 하는 거지. 스카이다이빙, 패러글라이딩, 이런 거. 좋잖아? (이게 도대체 뭔 소리지…?) 그래… 좋은 생각이네… 넌 이거 좋니? 난 아주 좋아하지!

그렇게… 두둥실 거리다가 우리는 땅에 사뿐히 착륙했다. 착륙 후, 스테판은 동영상과 사진을 넘겨주려 자신의 태블릿PC를 만지작거리다가 놓쳐 액정을 깨먹었다. 네 번의 패러글라이딩 후 손이 떨렸던 걸까? 아… 그의 흰 머리와 슬픈 표정은 왠지 짠했는데… 애써 "괜찮다"라는 스테판에게 "나도 얼마 전 스마트폰 액정을 깨먹었다"라는 말로 위로를 건넸다.

스테판은 몇 살일까? 아무튼 그가 좋아하는 레포츠를 오래오래 건강히 할 수 있기를!

interlude #5
늙은 내가 우습냐

interlude #5. 늙은 내가 우습냐

스위스 루체른-인터라켄으로 이어지는 여정은 대규모 한국인 군단과 함께 했는데, 당연하다시피 20대 초중반의 비중이 높았다. 이들의 왕성한 혈기는 대충 이런 식으로 분출됐는데….

(더 이상 올라갔다가는 생명이 위험할 것 같은 리기산 정상에서) "형! 저기 꼭대기 탑 있는데 한 번 올라가 볼까요?" "음… 길이 없는 것 같은데?" "무슨 상관이에요! 그냥 눈 밟고 올라가요!"

(융프라우에서 기차 타고 잘 내려오다가 갑자기) "형! 역에서 내려서 걸어가 볼까요?" "음… 걸어가는 사람은 아무도 없는데?" "물어보니까 걸어갈 수 있대요! 가요! 가요! 눈썰매 타면 신나겠다!"

(피로한 탓에 술자리를 피하려는 인터라켄의 둘째 날 저녁) "형! 빨리 내려와요! 빨리요!" "음… 오늘은 좀 피곤해서 건너뛸까 생각했는데?" "아, 형! 마지막 날인데 왜 안 내려와요!"

알프스의 추위를 박살내는 그들의 젊은 혈기는 이런 식으로 노구(老軀)를 혹사했다. 열 받은 노인은 깊어가는 인터라켄의 밤… 술에 취해 맥주잔을 구기며 "늙은 내가 우습냐!"를 백번 정도 내뱉었다는 전설이….

이제는 흩어진 루체른-인터라켄 아이들아. 내가 찍어준 사진에 너희들이 만족해서 노인은 행복했단다. 방망이 깎던 노인보다 더 멋진 사진 찍던 노인으로 기억해주렴. 너희들이 왕성한 혈기를 내뿜으며 사진을 빨리 보내달라고 독촉해도, 노인은 속으로 '끓을 만큼 끓어야 밥이 되지, 생쌀이 재촉한다고 밥이 되나…'를 되뇌며 사진을 다듬느라 시간이 조금 걸렸단다. 이해 부탁하고… 너희는 좋은 동행이었다….

12 첫인상과 끝인상

이탈리아 베니스

12
첫인상과 끝인상
이탈리아 베니스

베니스는 과연 '물의 도시'라는 별명다운 모습이었다. 산타루치아 역을 나서자마자 대운하가 시야를 가득 채웠다. 찰랑거리며 도도히 흐르는 물이 햇빛을 받아 반짝였다. 수상버스(바포레토)를 비롯해, 수상택시, 곤돌라, 개인용 배 등 여러 가지 배가 그 위를 유유히 떠다녔다. 그동안 봐왔던 유럽 도시 가운데 가장 이색적인 풍경이었지만, 별로 놀랍지는 않았다. 도시의 첫인상이 예상했던 모습과 크게 다르지 않았기 때문이다.

베니스 곳곳의 풍경. '물의 도시'다운 모습이다.

베니스는 물 위에 떠 있는 수상 도시다. 더 자세히 풀어쓰자면, 백 개가 넘는 인공 섬이 수백 개의 크고 작은 다리로 연결돼 있는 도시다. 이런 구조 때문에 생겨난 베니스만의 독특한 특징 하나가 있다. 이는 전혀 예상하지 못했던 점 중 하나이기도 한데… 바로 베니스엔 '차(車)'라는 물건이 전혀 없다는 점이다(베니스 국제영화제가 열리는 리도 섬은 예외이다).

그럼 물이 아닌 땅 위에서 사람들은 어떻게 다닐까? 그냥 걷고 또 걷는다. 베니스는 좁은 골목이 혈관처럼 구석구석 흐르는 도시다. 골목에 들어서면 양쪽에 우뚝 선 건물 벽 때문에 시야는 좁아지고, 목측이 닿는 곳 이외의 풍경은 미스터리로 남는다. 골목이 끝나면 흥부네 박 쪼개지듯 갑자기 새 풍경이 열린다. 놀랍게도 광장이 짠 나오거나, 뜬금없이 다리가 척 등장하거나, 그도 아니면 다른 골목으로 다시 접어드는 식이다. 종로나 을지로처럼 시야가 탁 트인 대로를 걷는 것과는 전혀 다른 느낌을 준다.

베니스의 골목은 대부분 좁다.

심한 곳은 사람 한두 명이 간신히 지나갈 정도다.

골목들은 미로처럼 얽혀 있다. 그래서 지도가 큰 도움이 되지 않는다. 지도를 보고 목적지가 있는 지점과 방위를 파악한 뒤, 목적지가 있는 방향으로 걷는 고전적인 길 찾기 방법이 통하지 않는다는 말이다. 백 개가 넘는 섬이 수백 개의 다리로 연결돼 있는데, 이게 어디가 연결돼 있고 어디가 끊겨 있는지 한 번에 알아채기가 쉽지 않기 때문이다.

당장 내가 묵는 숙소만 해도 그랬다. 지도에서 볼 땐 산타루치아 역 앞의 스칼치 다리를 건너 북동쪽으로 조금만 걸으면 될 것 같아 그쪽으로 걸었더니 웬 걸, 길이 물로 막혀 있었다. 숙소에 가려면 다음과 같은 과정을 거쳐야 했다. 일단 스칼치 다리를 건너 남동쪽으로 조금 걷다가, 북동쪽으로 방향을 틀어 나아가 작은 다리를 건넌 뒤, 북서쪽으로 몇 걸음 걸은 다음, 북동쪽으로 전진! 베니스에선 목적지에 도착한 뒤 지도로 온 길을 되짚어 볼 때마다 기분이 묘해지곤 했다.

베니스는 다이달로스의 미궁을 떠오르게 했다. 지도가 무의미한 이 미궁에서 여행자가 꽉 잡아야 하는 '아리아드네의 실'은 건물 벽 곳곳에 붙어있는 이정표다. 'PER S.MARCO(산 마르코 방향)'이니 'ALLA FERROVIA(페로비아 쪽)'이니 하는 목적지가 적혀 있고, 그 아래 화살표가 그려진 이정표 말이다. 이런 이정표 외에 페인트나 스프레이로 벽에 그려진 '수제(手製) 이정표'도 고맙고 반가운 존재. 곳곳에 자리한 이정표는 미궁 한 가운데 던져진 여행자에게 큰 위안이 된다. 그러나 이런 이정표가 모든 골목에 붙어있는 것은 아니다. 이정표가 없는 골목에선 자신의 본능과 감각에 전적으로 의존해야 한다.

곳곳에 자리 잡은 이정표.

베니스란 미궁 속에선 이정표가 '아리아드네의 실'이다.

골목을 헤매면 헤맬수록, 베니스에서 받은 첫인상은 희미해져 갔다. 내게 베니스는 어느새 '물의 도시'가 아닌 '골목의 도시'로 다가왔다. 물만큼이나 골목 구석구석이 인파로 찰랑이는 곳, 휙휙 뒤바뀌는 풍경에 깜짝깜짝 놀라는 곳, 때론 길을 잃고 헤매는 곳, 지도란 게 있어도 큰 도움이 안 되는 곳, 그러나 잘 찾아보면 방향을 일러주는 이정표가 곳곳에서 여행자를 향해 미소 짓는 곳, 그럼에도 때론 자신의 본능과 감각에 모든 걸 걸어야 하는 곳…. '이 도시는 어쩐지 인생의 은유 같구나….' 베니스에 대한 내 끝인상은 그렇게 각인됐다.

13 멀리서 바라보면

이탈리아 피렌체

13

멀리서 바라보면
이탈리아 피렌체

여행을 오기 전 영화 '냉정과 열정 사이'를 다시 봤다. 2001년에 만들어진 영화는 변한 게 없었다. 영화 속 피렌체는 여전히 아름다웠고, 'History'를 비롯해 료 요시마타가 작곡한 OST는 여전히 감미로웠다. 변한 건 나였다. 어린 시절에 봤을 땐 큰 감동을 받았던 것 같은데, 어쩐지 이번엔 시큰둥한 기분이 들었다.

'복원의 도시'로 그려지는 피렌체. '복원사'란 직업을 가진 남자. 그가 복원시키는 과거의 사랑. 은유 자체는 그럴 듯했으나 내용 자체가 너무 판타지로 느껴졌다. 어긋나고 놓쳐버린 것들을 기적처럼 되살리는 이야기에 나는 더 이상 공감할 수 없었다.

피렌체는 영화 속 모습과 많이 달랐다. 도착한 날 짐을 풀고 가죽시장 뒷골목에 들렀는데 약에 취한 듯 눈동자가 풀린 노숙자가 다가와 말을 걸었다. 손을 휘휘 내저어 쫓아내고 몇 걸음 더 걸으니 이번엔 지린내가 코를 찔렀다. '여기가 영화 속에서 본 그 피렌체가 맞나' 싶은 기분이 들었다.

다음날도, 그 다음날에도 비슷한 기분은 이어졌다. 도시 곳곳엔 팔뚝에 '셀카봉'을 주렁주렁 매달고 판매하는 흑인들, 그리고 동전이 든 종이컵을 흔들며 동냥하는 집시들이 넘쳐났다. 차와 스쿠터는 도로 위를 사납게 달렸고 시끄러운 경적 소리를 자주 냈다. 피렌체에 머무는 동안 비가 몇 번 내렸는데, 그럴 때면 군데군데 얼룩진 건물들이 한층 더 칙칙한 색으로 변했다. 영화 속에서 아름답게 윤색됐던 도시의 모습은 온데간데없었다.

현실의 피렌체는 어쩐지 영화가 품고 있는 판타지를 폭로하는 듯한 모습이었다.

피렌체의 지저분한 거리에서 '냉정과 열정 사이'의 대척점에 있는 영화로서 '건축학개론'이 떠올랐다. '우리는 모두 누군가의 첫사랑이었다'는 카피를 내건 만큼 영화는 첫사랑이란 소재를 전면에 내세운다. 하지만 '건축학개론'은 환상을 이야기하지 않는다. 오히려 지독할 만큼 현실적이다.

이 영화에서 진하게 배어나오는 감정은 회한인 듯했다. 생애 최초의 충만한 감정만큼 따라주지 않았던 그 시절의 미숙한 행동과 부족한 용기… 그리하여 어긋나고 놓쳐버린 모든 것들에 대한 회한. 영화는 마법처럼 그 시절의 두 사람을 다시 만나게 하지만, 판타지는 딱 거기까지다.

15년 만의 키스는 15년 전의 어긋남과 놓침을 바로잡아주지 못한다. 두 사람이 결국 이어지지 않아서, 나는 영화가 마음에 들었다. 영화 후반부, 남자 주인공이 스무 살 적 망가뜨린 녹색 철문을 고쳐 보고자 낑낑대다 결국 포기하고 담배를 피우는 장면은 그래서 하나의 은유로 읽혔다. 훗날 깨닫게 된다 해도 결코 돌이킬 수 없는 시절이, 바로잡고 싶어도 결코 그럴 수 없는 것들이 있기 마련이라고… 영화는 말하는 것 같았다. 이 영화가 그리는 건 사랑이 아니라, 사랑이라는 관계 속에서 무언가를 배우기 위해 상실과 상처를 지불해야 했던 한 인간의 성장사다. 그에 비하면 복원과 기적의 힘을 믿는 '냉정과 열정 사이'의 이야기는 낭만적이긴 하되… 얼마나 어리고 유치한가.

우피치 미술관에 전시된 그림들 밑엔 대부분 'Restored in ○○○○'란 설명이 적혀 있다. '○○○○년에 복원된 작품'이란 뜻이다. 유명한 작품인 베로치오의 '세례 받는 그리스도'와 레오나르도 다 빈치와 시모네 마르티니의 '수태고지'에도 각각 1998년, 2000년, 2001년에 복원됐다는 설명이 적혀 있다. 복원되기 전 있었을 흠(欠)의 흔적을 찾는 일은 힘들었다. 특히 멀찍이 떨어져서 바라보면 그림들은 막 태어난 듯 깔끔한 모양새를 자랑했다.

그러나 엄밀히 말하자면 이 미술관에 걸린 그림들은 이미 처음 그려졌을 때와는 전혀 달라진 무언가에 불과했다. 영원한 건 없어서, 그림 또한 시간이 지나면 부서지고 깨어져 나갈 수밖에 없다. 우피치 미술관엔 이를 거부하고 수용치 않으려는 인간의 의지가 벽마다 주렁주렁 걸려 있었다. 복원의 가치란 게 무엇일까… 그런 생각을 하면서 미술관을 돌았다. 멀리서 바라본 그림들은 하나같이 아름다웠다.

알고 보니 피렌체도 그랬다. 피렌체를 떠나기 하루 전날, 오후 느지막이 두오모 쿠폴라에 올랐다. 높은 곳에서 내려다 본 피렌체는 아래에서 본 풍경과 달리 아름다웠다. 멀리서 바라보면 이렇게 아름답구나. 우리네 인생을 거쳐 가는 수많은 상처와 슬픔, 미련과 회한도 멀리서 보면 아름다울 수 있을까… 나는 내 인생을 거쳐 갔던 것들을 떠올리며, 저 낮은 곳의 피렌체를 오래오래 바라보았다.

두오모 쿠폴라에서 내려다본 피렌체의 모습.

14 '천재' 미켈란젤로

이탈리아 로마 & 바티칸 시국

14
'천재' 미켈란젤로
이탈리아 로마 & 바티칸 시국

"천재의 존재를 믿지 않는 사람, 혹은 천재란 어떤 인물인지 모르는 사람은 미켈란젤로를 보라."

프랑스 소설가 로맹 롤랑이 남긴 말이라고 한다. 틀린 말은 아닌 듯하다. 로마와 바티칸 시국을 둘러본 뒤, 내 머리 속에 깊숙이 각인된 것은 오직 미켈란젤로의 이름뿐이었다. 콜로세움, 포로 로마노, 판테온… 곳곳에 산개한 문화유산보다 미켈란젤로의 인생과 그가 남긴 작품이 더욱 강렬한 인상을 남겼기 때문이다.

감탄은 그가 1538년 설계한 캄피돌리오 광장에서부터 시작됐다. 캄피돌리오 광장은 베네치아의 산 마르코 광장, 시에나의 캄포 광장과 함께 이탈리아 3대 광장 가운데 하나로 꼽힌다고 하는데… 처음 본 순간 든 생각은 '대체 왜?'였다. 거대한 면적을 자랑하는 다른 두 광장과 달리 상대적으로 규모가 작았기 때문이다. 로마에서 처음으로 만난 미켈란젤로의 작품은 내게 당혹감을 안겨 주었다.

감피돌리오 광장의 모습.
이탈리아 3대 광장으로 꼽히기엔 아무리 봐도 규모가 너무 작다.

실망에서 감탄을 분리해내는 첫 번째 프리즘은 바로 미켈란젤로의 신앙심에 있다. 신실한 신자인 그는 인간이 아닌 신의 시선을 의식하며 이 광장을 만들었다고 한다. 평범해 보이던 광장을 하늘에서 보는 순간, 아래 사진에서 보듯 광장 한 가운데에 신에게 바치는 꽃 한 송이가 피어난다. 또 꽃을 자세히 살펴보면 꼭짓점이 12개인데 이는 예수의 열두 제자를 상징한다고 한다.

하늘에서 본 캄피돌리오 광장 (출처 : http://obe.so/98d80a)

두 번째 프리즘은 바로 과학. 평평해 보이는 이 광장은 사실 가운데가 봉긋하게 솟아있는데, 이는 배수를 고려한 설계라고 한다. 또 광장에 연결된 계단은 이상하게도 위쪽 계단일수록 좌우 폭이 더 넓다. 이는 밑에서 올려다 볼 때 원근법에 의해 위쪽 계단의 좌우 폭이 좁아 보이는 착시를 제거하기 위해서라고 한다. (그래서 밑에서 계단을 올려다보면 모든 계단의 좌우 폭이 동일해 보인다.) 뿐인가. 캄피돌리오 광장에 서서 계단이 가리키는 방향을 보면 교황이 사는 성베드로 대성당을 가리킨다고 하니… 종교개혁 당시, 종교의 중심이 아직 로마에 있음을 보여줄 힘 있는 건축을 해 달라는 교황의 요청에 따라 '천재' 미켈란젤로가 구상한 광장다운 모습이었다.

1475년 3월 6일 이탈리아 카센티노의 카프레세에서 태어난 미켈란젤로의 유년은 순탄하지 못했다. 아버지는 읍의 행정관이었고, 어머니는 그가 여섯 살 때 세상을 떠나 미켈란젤로는 한 석공의 아내에게 맡겨졌다. 아버지는 아들이 공부를 해 집안을 일으켜 세우길 원했지만 미켈란젤로는 어릴 때부터 미술에 심취했다. 아버지는 매질을 해가면서까지 마음을 돌리려 했으나 미켈란젤로의 고집을 꺾진 못했다.

결국 미켈란젤로는 13세 때 피렌체 화가 도메니코 기를란다요의 제자로 들어가 도제 수업을 받는다. 일 년 정도 수업을 받은 후 그는 그림에 싫증을 느낀다. 대신 조각에 끌리기 시작한다. 2차원이 아닌 3차원을 표현하는, 그래서 그림보다 조각이 더 어렵고 위대한 예술이라고 여겼다고 하는데…. 이후 미켈란젤로가 조각 학교에 입학해 조각가의 길을 걷게 된 이유다.

조각가. 그가 '천재'로 불리는 여러 가지 이유 중 하나가 바로 이 직업 속에 숨어있다. 흔히 '천지창조'라 불리는 시스티나 성당 천장화와 '최후의 심판'이라는 유명한 벽화를 그린 이는? 다름 아닌 '조각가' 미켈란젤로다. 가장 유명한 작품으로 '피에타' '다비드' 같은 조각과 함께 프레스코화(벽 표면에 석회와 모래를 섞어 칠하고 그 칠이 마르기 전에 재빨리 채색을 해 색이 보존될 수 있도록 하는 방법으로 그린 그림)가 꼽히고 있는 셈이다.

게다가 두 작품 중 먼저 그린 '천지창조'의 경우 프레스코화를 그려본 경험이 전혀 없는 상태에서 교황의 지시로 공부하며 동시에 그려낸 것이라 하는데…. 본디 조각가였기 때문일까. '천지창조'를 처음 보면 마치 천장에 조각상이 주렁주렁 달려있는 것처럼 보인다. 인터넷이나 사진으로서는 느낄 수 없었던 입체감이 느껴진다. 완성된 '천지창조'를 보고 교황이 "그림을 그리라고 했는데 왜 조각을 해서 천장에 달아놨냐"라는 말을 했다는 설이 거짓처럼 들리지 않았다.

미켈란젤로라 한들 처음 그려보는 프레스코화가 쉬울 리 없었다. 4년의 세월 동안 천장의 들보에 매달린 채 갖은 고생을 하며 작업을 했다. 갖가지 사료는 당시 그의 고통을 처절하게 기록하고 있다. 허리가 굽고, 시력이 손상되고, 다리 기능이 상실돼가는 가운데서도 그는 시스티나 성당의 문을 굳게 걸어 잠근 채, 자신이 원하는 주제를 자신만의 방법으로 그려냈다. 그 주제와 방법을 지켜내기 위해 '절대권력' 교황 앞에서도 끝끝내 포기하지 않았던 조건은 '작품이 완성되기 전까진 어떤 누구에게도 절대 공개치 않을 것'이었다고 한다. 그 때문에 작품 공개 이후 '하나님의 모습을 표현했다'(천지창조), '신성한 예배당 벽화의 인물을 모두 나체로 그렸다'(최후의 심판) 등의 논란에 시달리기도 했지만 말이다.

세상 모든 것과 타협해도 자신의 예술적 신념만은 타협할 수 없다는 고집. 그리고 온갖 악조건 속에서도 흔들리지 않는 자신에 대한 믿음. 천재는 어떻게 태어나는가. 미켈란젤로의 작품 앞에서 재능도 재능이지만, 고집과 믿음을 지켜갈 수 있는 용기를 지닌 자만이 천재의 반열에 오를 수 있는 게 아닐까… 하는 생각이 들었다.

'천지창조'와 '최후의 심판'은 사진 촬영이 엄격히 금지돼 있다. 물론 자료 사진을 구할 순 있지만, 사진으로 보는 건 의미가 없다고 판단돼 첨부하지 않는다. 나 역시 두 작품 모두 이미 수차례에 걸쳐 사진으로 접한 바 있지만, 실제로 접하고 느꼈던 감흥은 전혀 달랐다. 천장화와 벽화라는 특수성, 또 엄청난 크기 때문이 아닌가 싶다.

그의 그림이 아무리 유명해도 미켈란젤로는 스스로를 '조각가'라고 주장했던 사람이다. 그리고 그가 남긴 조각상 중엔 저 유명한 '피에타'가 있다.

미켈란젤로의 '피에타' 하면 소설가 신경숙의 소설 '엄마를 부탁해'가 떠오른다. 소설의 에필로그 '장미 묵주'는 바로 이 '피에타'가 있는 성 베드로 성당 내에서 펼쳐진다. 시점은 엄마를 잃어버린 지 9개월째. 소설 속 '너'는 바티칸 시국에서 관광 프로그램을 참여하다가 새로운 사실 하나를 알게 된다. 바티칸 시국이 세상에서 가장 작은 나라라는 것을. 그리고 불현듯 떠올린다. 잃어버린 엄마가 지난 날 세계에서 가장 작은 나라에 가게 되면 장미나무로 만든 묵주를 구해다달라고 했던 것을. 기념품점에서 마주친 장미 묵주의 값은 15유로. '너'는 이 장미 묵주를 사서 손에 든 채 미켈란젤로의 '피에타' 앞에 선다.

바티칸 시국을 둘러보다가 알게 된 새로운 사실. 신경숙은 실제로 바티칸 시국을 방문해 한 투어 업체의 바티칸 시국 관광 프로그램에 참여했고 거기서 보고 듣고 느낀 것을 '엄마를 부탁해'에 투영했다고 한다. 천재의 작품은 이렇게 후대의 예술가에게 큰 영감을 주나보다. '엄마를 부탁해'를 매우 좋은 작품이라고 생각하는 나는 이 피에타를 실제로 보게 돼 굉장히 감격스러웠다. 미켈란젤로가 24세의 젊은 나이에 조각했다는 사실이 믿기지 않아 한참을 들여다보았다. 웃지도 않고 그렇다고 울지도 않는 성모의 표정을 들여다보며 묘한 감정을 느꼈다.

'피에타' 와 관련해 두 가지 흥미로운 이야기가 전해진다. 둘 다 성 베드로 성당 내에서 가이드가 들려준 이야기다. 먼저 첫 번째. 이

정면에서 바라본 '피에타'

조각상은 세상에 공개된 후 '성모가 너무 젊고 아름답게 묘사됐다' '성모가 예수에 비해 더 크다' 등의 이유로 논란을 겪었다. 특히 '조각상의 주인공이 예수가 아니라 성모 같다'는 비판이 끊이지 않았다고 하는데, 이에 대해 미켈란젤로는 입을 굳게 다물었다.

훗날 이 조각상을 새로운 시각에서 보게 된 사람들은 깜짝 놀라며 "역시 미켈란젤로는 천재"라며 감탄을 늘어놨다. 인간의 시각이 아닌 하늘에 있는 신의 시각에서 바라본 후 뜻밖의 발견을 한 것이다. 신의 시각에서 보면 성모는 완벽히 존재감을 지운다. 성모의 젊은 외모도 거대한 크기도 더 이상 문제가 되지 않는다. 미켈란젤로가 하늘에 계신 신을 위해 만들었을 '피에타'. 이 조각상을 신의 시각에서 보면 진짜 주인공인 예수의 모습만이 보일 뿐이라고, 가이드는 설명했다.

위에서 내려다본 '피에타'. (출처 : http://tuney.kr/218oGx)

두 번째 이야기. '피에타'는 미켈란젤로가 유일하게 서명을 남긴 작품이다. 서명은 성모의 어깨띠에 남아있다. 왜 그랬을까. 가이드는 '다른 조각가가 만들었을 것'이라는 소문에 24세의 젊은 미켈란젤로가 화가 나 밤을 틈 타 '피렌체 사람, 미켈란젤로 부오나로티가 만들었다'는 서명을 몰래 새겨 넣었다고 설명했다. 그러나 서명을 새기고 난 후 밖으로 나온 미켈란젤로는 크게 자책했다고 한다. '이 아름다운 밤하늘을 만든 신은 그 어디에도 자신의 이름을 새기지 않았는데, 신의 피조물인 나는 조각상 하나 만든 주제에 잘난 척하며 이름을 새겨 넣었구나…' 하고. 결국 미켈란젤로는 이후 그 어떤 작품에도 서명을 하지 않겠다고 다짐했고, 실제로 '피에타'에 새겨진 서명은 미켈란젤로의 처음이자 마지막 서명이 됐다고 한다.

나는 두 번째 이야기가 마음에 들었다. 놀라운 천재에게도 범인(凡人)의 면모가 묻어나던 시절이 있었구나…. 성모의 어깨띠에 새겨진 그의 서명은 인간의 한계를, 또 미켈란젤로도 결국 나와 같은 인간임을 새삼 실감케 했다. 그래, 인간이기에 오랜 세월 반복되어 온 인류의 슬픔과 사랑을 조각에 담아 이렇게 전할 수 있는 것이겠지….

마지막으로 옮겨 두고 싶은 '엄마를 부탁해' 속 구절들이 있다. '엄마를 부탁해' 4장 '또다른 여인'에선 죽은 엄마의 혼(魂)이 화자(話者)로 등장한다. 혼은 저승으로 가기 전 세상을 떠돌며 자식과 가족, 또 숨겨두었던 인연까지 두루 살핀 뒤 마지막으로 태어난 집으로 향한다. 그곳에서 혼은 자신을 낳아준 엄마를 만난다. 4장의 마지막 부분은 다음과 같다.

"… 엄마는 파란 슬리퍼에 움푹 파인 내 발등을 들여다보네. 내 발등은 푹 파인 상처 속으로 뼈가 드러나 보이네. 엄마의 얼굴이 슬픔으로 일그러지네. 저 얼굴은 내가 죽은 아이를 낳았을 때 장롱 거울에 비친 내 얼굴이네. 내 새끼. 엄마가 양팔을 벌리네. 엄마가 방금 죽은 아이를 품에 안듯이 나의 겨드랑이에 팔을 집어넣네. 내 발에서 파란 슬리퍼를 벗기고 나의 두발을 엄마의 무릎으로 끌어올리네. 엄마는 웃지 않네. 울지도 않네. 엄마는 알고 있었을까. 나에게도 일평생 엄마가 필요했다는 것을."

문학평론가 정홍수는 이 부분에 대해 이렇게 평했다. "우리는 지금 또 하나의 압도적인 피에타상 앞에 서 있다. 여기에 무슨 말을 덧붙이랴."

interlude #6
Hey! What is your fxxking problem?

interlude #6. Hey! What is your fxxking problem?

로마 시내를 둘러보고 해질 무렵 스페인 광장 근처 스파그나 역에 지하철을 타러 가면서 생각했다. 유럽에 소매치기가 그렇게 많다더니… 악명 높은 로마도 안전하기만 하잖아? 아무튼 사람들 오버는 알아줘야 한다니까… 아니, 그런데 역에 사람이 왜 이렇게 많지? 퇴근시간인가?

인파를 헤치며 간신히 도착한 플랫폼에도 사람이 바글바글했다. 곧 지하철이 도착했고 의식을 놓은 채 이리저리 떠밀리며 탑승을 마쳤다. 가장 바깥쪽에 간신히 탔기에 약간 긴장했지만, 다행히 문은 무리 없이 닫혔다. 그때 문에 달린 창문 너머로 10살쯤 돼 보이는 아이들 무리가 눈에 들어왔다. 그리고 거짓말처럼 문이 다시 열렸다.

"고(Go)! 고 인사이드(Go inside)!"

아이들 4~5명은 문이 열리자마자 달려들어서는 소리를 질러대며 나를 지하철 안쪽으로 밀어댔다. 뭐지…? 치미는 불쾌감을 억누르며 동양인의 품격을 보여주자고 스스로를 달랬다. 곧 지하철이 출발하고 아이들은 조용해졌다. 음… 아이들이 급한 사정이 있었나보다… 싶었던 것도 잠시.

앞으로 메고 있던 사이드백에 갑자기 알 수 없는 손길이 느껴졌다. 내려다보니 여자아이 1명이 사이드백 위에 옷을 올려놓고는 그 아래로 손을 넣어 꼼지락거리고 있다. 억눌러오던 불쾌감이 폭발하는 순간이었다.

"아이씨! 야! 너 뭐하는 거야? 어? 손 안 치워?"

한국어로 내뱉은 고함과 노려보는 눈길에 겁을 먹은 걸까. 아이는 순식간에 손을 빼고 옷을 치우더니 고개를 숙인다. 사람들의 시선이 쏠리고… 아니나 다를까 사이드백 지퍼가 열려 있다. 진짜 소매치기였네… 사이드백에 손을 넣어 없어진 게 있나 확인하며 한 마디 더 쏘아붙이려는데….

"Hey! What is your fxxking problem?(야! X발, 뭐가 문제야?)"

갑자기 고등학생쯤 돼 보이는 한 남자아이가 얼굴을 들이밀며 사납게 외쳤다. 음… 갑자기 모든 문제가 사라지고 그 친구의 외양이 중차대한 문제로 떠올랐다. 민소매 사이로 보이는 울퉁불퉁한 근육, 몸 곳곳에 자리 잡은 문신, 입술을 꿰뚫은 피어싱, 빡빡 민머리…. 나는 다시 품격 있는 동양인으로 돌아갔다. 노(No·아니)… 노 프라블럼(No problem·문제없어)….

이후 차렷 자세를 유지한 채 도착한 떼르미니 역. 숙소로 돌아가는 길에 확인해보니 소매치기당한 물건은 없었다. 가슴을 쓸어내리며 소박한 바람 한 가지를 품어보았다. 지하철에 있던 사람들이 부디 날 품격 있는 동양인으로 기억해주었으면….

15 버려진 돌마다 풀이 돋았다

이탈리아 폼페이

15
버려진 돌마다 풀이 돋았다
이탈리아 폼페이

하늘에 낀 먹구름 때문에 햇빛이 전혀 보이지 않았다. 굵은 빗줄기가 버스 창문을 두들기는 소리가 요란했다. 로마에서 폼페이로 출발하던 날, 날씨가 좋지 않았다. 이탈리아는 겨울이 우기(雨期)다. 폼페이를 제대로 볼 수 있을까. 걱정이 끊이지 않았다. 하지만 다행히 이날 폼페이의 하늘은 로마의 그것과 달리 맑고 높았다.

내 생일은 1987년 8월 24일, 여름이다. 한국은 여름이 우기지만 이탈리아는 오히려 비를 구경하기 힘든 건기(乾期)다. 아마 내가 태어났던 날 이탈리아의 날씨는 대체로 좋았을 테다. 또 내 생일로부터 정확히 1908년 전인 서기 79년 8월 24일 폼페이의 하늘도 아마 청명했을 것이다. 하지만 이날 오후 1시쯤 베수비오 화산이 폭발하면서 폼페이의 하늘엔 묵시록(默示錄)적인 풍경이 펼쳐졌다.

폼페이에서. 뒤편 저 멀리 베수비오 화산의 모습이 보인다.

전문가들에 따르면 베수비오 화산 폭발은 두 단계에 걸쳐 일어났다. 먼저 폭발이다. 원자폭탄 강도의 폭발이 몇 초마다 일어났다. 이 때문에 화산의 중심에선 높이가 약 30km에 달하는 거대한 불기둥이 형성됐고, 불기둥에선 작은 조약돌 모양의 화산재가 비처럼 쏟아졌다. 두 번째 단계는 불기둥이 무너지면서 몰아친 화쇄암(火碎巖) 폭풍이다. 엄청나게 뜨거운 화쇄암 폭풍은 산을 타고 내려와 시속 160km의 속도로 사방을 향해 흩어졌다. 이는 일반적인 허리케인의 속도와 맞먹는 수준. 바로 이 두 번째 단계에서 모든 사람이 목숨을 잃었을 것이라고 전문가들은 말한다. 이 갑작스런 사태는 다음날인 8월 25일 아침에야 끝났다. 불과 하룻밤 사이 폼페이는 두께 4m의 화산재 아래에 묻혀 봉인됐다. 이후 잊혔던 도시는 약 300년 전 우물을 파던 한 농부가 우연히 발견하면서 세상에 모습을 드러냈다.

이후 폼페이 발굴을 이끈 로마대 주세페 피오렐리 교수는 한 가지 의문에 사로잡힌다. 도시가 그대로 화산재에 묻혔는데, 몇 구의 화석 외엔 사람의 흔적이 전혀 없었던 것이다. 대신 용암과 화산재가 식어 굳은 발굴현장의 흙더미 사이에서 이상한 형태의 빈 공간이 여럿 발견됐다. 주세페 피오렐리 교수는 이 의문의 공간에 주목해 석고를 부었다. 석고가 굳은 후 주변의 흙을 긁어내자 놀랍게도 사람의 형태가 나타났다. 다름 아닌 폼페이 최후의 날 죽어간 사람들의 모습이었다. 사연은 이랬다. 베수비오 화산 폭발 당시 발생한 화산재는 희생자들의 피부를 완전히 덮었다. 이후 시간이 흐름에 따라 화산재는 굳게 돼 고유의 형태를 갖게 됐다. 반면 화산재 내부의 육체는 완전히 썩어 빈 공간이 생기게 된 것이다.

폼페이엔 이렇게 만들어진 석고상이 여러 점 남아 있었다. 입과 코를 막은 채 웅크리고 앉아 있다가 최후를 맞이한 사람, 임신한 듯 배가 불룩 나와서는 바닥에 엎드린 채 삶을 마감한 여인, 몸부림치다가 그대로 굳어버린 개, 손을 붙잡고 엎드린 채 영원히 박제된 연인…. 이렇게 발견된 죽음의 흔적이 지금까지 2000여 개에 달한다고 한다. 그들은 생전에 이런 갑작스런 죽음을 상상이나 할 수 있었을까. 새삼 '죽음은 참으로 도처에 널려있구나' 하는 생각이 들었다.

폼페이 최후의 날의 비극을 말없이 증언하고 있다.

소설가 김훈의 소설 '칼의 노래'는 이런 문장으로 시작한다. "버려진 섬마다 꽃이 피었다." 왜군의 침략에 쑥대밭이 된 조선 남해(南海)의 비극성은 도도히 피어난 꽃과 대조를 이루며 극에 달한다. 이날 눈앞에 펼쳐진 폼페이의 모습도 그랬다. 화산재엔 식물이 성장하는 데 필요한 성분이 다량 포함돼 있어 폼페이 구석구석마다 풀이 돋아나는 점이 골칫거리라고 가이드는 설명했다. 가이드의 말대로 폼페이에선 버려진 돌마다 풀이 돋아나고 있었다.

버려진 돌마다 풀이 돋았다.

폼페이는 그래서 덧없음에 관한 이야기를 하고 있는 것 같았다.

인간 생명과 문명의 모습이 이렇구나. 부서지고 무너진 돌과 푸른 풀을 번갈아 들여다보며 인간 생명과 문명의 덧없음에 대해 생각했다. 버려진 도시는 고대 로마 문명의 찬란함이나 최후의 날의 끔찍함보다는, 덧없음에 대한 이야기를 들려주는 듯했다. 그 이야기가 전하는 슬픔 속에서, 덧없는 한 명의 인간으로 살아가는 동안 해야만 할 일이 무엇인지 떠올려 봤지만… 폼페이의 푸른 풀과 맑은 하늘은 아무 대답 없이 평화롭기만 했다.

16 성(聖) 크리스토퍼를 만나다

스페인 톨레도

16

성(聖) 크리스토퍼를 만나다
스페인 톨레도

햇살을 받은 톨레도의 건물은 하나같이 짙은 주홍빛을 내뿜었다. 건물과 땅의 색 구분이 모호했다. 벽과 지붕의 색은 흙의 색을 닮아 있었다. 지금껏 여행하며 보지 못한 색의 도시였다. 도시의 색에선 톨레도가 변치 않고 버텨온 유구한 세월이 느껴졌다. 톨레도는 1986년 시 전체가 세계문화유산으로 지정됐다. 무엇 하나 함부로 바꿀 수 없는 도시란 소리다. 앞으로도 마치 중세와 같은 지금의 모습을 유지할 것이라 생각하니 묘한 기분이 들었다.

톨레도는 스페인 역사에서 오랫동안 중심이었던 도시다. 6세기부터 16세기까지 약 1000년에 걸쳐 지배세력이 세 번 바뀌는 동안 줄곧 스페인의 정치적·문화적 중심지였다. 톨레도가 각광받았던 까닭은 뭘까. 간단하다. 도시가 강으로 둘러싸인 천혜의 요새이기 때문이다. 심지어 도시의 이름마저 '요새'다. '톨레도'란 이름은 이곳을 정복했던 로마인들이 붙인 라틴어 이름 '톨레툼(Toletum)'에서 유래하는데 이는 다름 아닌 '요새'란 의미라고 한다. 이 이름과 관련된 설 또한 흥미롭다. 톨레도를 공략하며 하도 애를 먹은 로마인들이 '항복하지 않고 참고 견디는 인내가 대단하다'고 하여 이런 이름을 붙였다는 것. 'Toletum' 앞의 'tole-'를 보면 영어 단어 'tolerate(참다, 견디다)'가 떠오른다.

톨레도가 본격적으로 도시의 모습을 갖춘 건 기원전 2세기 로마에 정복당해 주도(州都)가 된 이후부터다. 그 후 6세기부터는 서고트 왕국의 수도가 됐다가, 8세기부터는 이베리아 반도를 점령한 이슬람 세력(무어인)의 영토로 편입돼 근거지로 활용됐다. 이슬람 세력의 톨레도 지배는 약 400년간 이어지다가 11세기에 이르러 비로소 끝이 난다. 이후 다시 수복된 톨레도는 카스티야 왕국의 수도가 돼 발전을 거듭하다 1561년 스페인 국왕 펠리페 2세가 수도를 마드리드로 옮기면서 쇠락의 길을 걷게 된다.

지배세력이 여러 번 바뀌는 동안 톨레도에선 이슬람교, 유대교, 기독교가 공존하고 융합했다. 톨레도로 들어서는 관문인 산 마르틴 다리에도 그 흔적이 남아있다. 다리 한쪽 끝에 위치한 문이 평범한 아치 모양이 아니라 양 끝 가운데 부분이 움푹 들어간 아치 모양을 하고 있거나, 성벽 위의 요철(凹凸)에 삼각형 모양의 돌이 놓여 있는 모습 등이 바로 이슬람 건축의 영향이라고 가이드는 설명했다. '로마인이 건설하고, 이슬람인이 개축했으며, 후손이 지켜낸 다리.' 산 마르틴 다리에 대한 가이드의 짧은 평이다.

산 마르틴 다리의 모습. 두 번째 사진의 문을 보면 평범한 아치 모양이 아닌 양 끝 가운데 부분이 움푹 들어간 아치 모양을 하고 있다. 성벽 위의 요철(凹凸)에도 삼각형 모양의 돌이 놓여 있어 흔히 보던 성벽과는 다른 형태를 띠고 있다. 이는 전부 이슬람 건축의 영향이라고 한다.

수도 역할을 끝내고 16세기 이후 일개 지방도시가 된 톨레도는 오히려 그 덕분에 중세의 모습을 그대로 보존했다. 구불구불 도시를 관통하는 비좁은 골목길, 그 골목길에 깔린 자갈들, 때가 껴 하나같이 얼룩진 건물들은 낡아서 오히려 빛나는 매력을 분출하고 있었다. 게다가 이곳은 오래전부터 철광석이 많이 나는 칼과 검의 도시. 곳곳에서 칼과 검을 팔고 있는 모습은 중세의 풍경을 완성하는 화룡점정이다. 영화 '반지의 제왕' 등에 소품으로 사용된 칼과 검도 대부분 이곳에서 납품했다고 한다.

톨레도 골목골목마다 칼과 검을 파는 가게가 널려 있다. 영화에서 보던 바로 그 칼과 검이다.

중세의 모습에 이슬람의 흔적까지 더해져 흥미로운 골목을 헤매다 톨레도 대성당을 만났다. 꺾어지는 골목으로 들어서자마자 떡 하니 모습을 드러내는 게 과연 톨레도의 대성당다운 등장이었다. 스페인에서 가장 큰 성당은 세비야 대성당이지만 스페인 가톨릭의 총본산이자 수석 성당은 바로 이곳 톨레도 대성당이라고 한다. 이곳에도 서로 다른 문화가 섞여있다. 이슬람 세력이 지배하던 시절 모스크였던 건물을 개조해 만들었기 때문이다.

톨레도 대성당은 가까이 다가서면 카메라에 전체 모습을 담기가 힘들 정도로 크다.

서로 다른 문화가 섞인 대성당이기 때문일까. 내부의 성모자상(聖母子像)에마저 왠지 동양의 느낌이 섞인 듯하다. 성모의 미소가 마치 부처의 그것과 비슷해 보인다.

대성당에서 눈길을 가장 강렬하게 사로잡은 것은 성당 한쪽 벽을 위·아래로 꽉 채우고 있는 성(聖) 크리스토퍼의 그림이었다. 저 거대한 그림은 대체 뭘까 싶었는데, 알고 보니 무교(無敎)인 내겐 흥미로운 이야기가 숨어 있었다. 가이드로부터 크리스토퍼에 얽힌 이야기를 듣고 난 후 한참동안 그림을 들여다봤다.

크리스토퍼는 외경(外經 · 성경 편집 과정에서 제외된 문서들)에 나오는 성인이다. 전설에 따르면 힘센 거인이었던 그는 세상에서 가장 강한 자를 만나면 주인으로 섬기겠다고 결심했다. 처음엔 왕을 찾아갔으나 왕은 악마를 겁냈고, 이에 악마를 찾아갔으나 악마는 예수를 겁냈다. 결국 거인은 예수가 세상에서 가장 강한 자라고 판단, 예수를 찾아 섬기기로 했다.

예수가 있는 곳을 찾아다니던 거인은 수심이 깊고 물살이 거센 강 앞에서 한 수도자를 만났다. 수도자는 거인에게 "가난하고 곤경에 처한 사람을 섬기는 일이 곧 예수를 섬기는 것"이라며 "강가에 머물며 가난한 여행자가 강을 건널 수 있도록 돕거라"라고 말했다. 이에 거인은 수도자의 말대로 강가에서 돈이 없어 배를 타고 가지 못하는 여행자를 자기 어깨에 짊어지고 강을 건너는 일을 했다.

그러던 어느 날, 거인은 한 어린아이를 어깨에 짊어지고 강을 건너게 됐다. 그런데 이상하게도 이 작은 아이가 점점 무거워지더니 급기야 강을 건너기 힘들 지경에 이르렀다. 마치 전 세계를 짊어진 듯한 느낌이 들었지만 거인은 지팡이에 의지해 안간힘을 쓰며 겨우 강을 건넜다.

간신히 뭍에 도착한 순간 어린아이가 입을 열었다. "너는 지금 전 세계를 옮기고 있는 것이다. 나는 네가 그토록 찾던 왕, 예수 그리스도다." 어린아이의 말이 끝나자 거인의 지팡이가 땅에 뿌리를 내리고 푸른 잎을 피우며 종려나무가 되는 기적이 일어났다. 그때부터 거인은 그리스어로 '그리스도를 업고 가는 사람'을 뜻하는 '크리스토포로스'라고 불리게 됐다. 크리스토퍼는 예수를 모시고 강을 건넜기 때문에 주로 여행자의 수호성인으로 여겨지며, 그 외에도 운전자나 육체노동자의 수호성인으로 간주되기도 한다.

여행 도중 크리스토퍼를 알게 되고, '지팡이를 짚은 채 어린아이를 어깨에 짊어지거나 가슴에 안고 강을 건너는 모습'으로 상징되는 그의 모습을 처음 접한 나는 그의 그림이 매우 흥미로웠다. 그림이 저리도 큰 것은 전설 속 크리스토퍼가 거인이기 때문인가… 라는 궁금

증이 들기도 했다. 이날 받은 인상이 커서였을까. 이후 세비야 대성당에서도 크리스토퍼를 만났고, 바르셀로나에서 묵은 호스텔인 'St Christopher's Inns'에서도 혼자서 엄청 반가워했다.

톨레도 대성당 내에 그려진 크리스토퍼. 지팡이를 짚은 채 아기예수를 어깨에 짊어지고 강을 건너고 있다.

세비야 대성당에서 발견한 크리스토퍼. 이 그림의 크기도 톨레도 대성당의 그것처럼 매우 크다. 재미있게도 크리스토퍼 콜럼버스의 묘 바로 옆에 그려져 있다. 신대륙으로 여행을 떠났던 크리스토퍼 콜럼버스의 운명도 어쩌면 이름이 예고하고 있던 것은 아니었을까 싶은 생각이 들었다.

유럽여행을 오기 전, 계획을 짜면서 듣도 보도 못했던 도시가 몇 있었다. 런던, 파리, 로마 등 익숙한 도시와 달리 제반지식이 전무한 도시 말이다. 당연히 톨레도도 그 중 하나였다. 솔직히 고백하자면 마드리드에서 편리하게 다녀올 수 있는 도시로 세고비아와 톨레도가 있다는 소리를 듣고 임의로 한 도시를 정했을 뿐이다. 그런데 톨레도에 와 이처럼 많은 이야기를 접할 줄이야. 톨레도를 떠나기 전 높은 곳에 올라 이런저런 이야기를 들려준 오래된 도시를 가만히 내려다봤다. 도시의 풍경은 처음과는 전혀 다르게 보였다. 알게 되면 다르게 보인다. 살면서 모른다는 이유로 무심코 지나쳤던 것들은 도대체 얼마나 많을까.

17 절망과 환멸이 낳은 작품

스페인 마드리드

17

절망과 환멸이 낳은 작품
스페인 마드리드

도대체 이 화가가 느낀 절망과 환멸의 깊이는 어느 정도였을까. 마드리드 프라도 미술관에 전시된 그림 '자식을 먹어치우는 사투르누스' 앞에 서자 소름이 돋았다. 사투르누스(그리스 이름은 '크로노스')는 고대 신화 속 시간의 신. 신화는 그가 '자식에게 쫓겨나 왕위를 뺏기게 될 것'이란 신탁을 듣고는 자식을 낳는 족족 모조리 먹어치웠다고 설명한다.

시선을 사로잡은 건 사투르누스의 눈이었다. 흥분해서 희번덕거리는 것인지, 건너선 안 될 강을 결국 건너고야 말았다는 격한 슬픔에 광기가 서린 것인지 도저히 분간이 되지 않았다. 이 기괴한 그림을 그린 사람은 다름 아닌 프란시스코 고야. 그가 70대였던 1819~1823년 그린 작품이라고 한다.

프란시스코 고야, '자식을 먹어치우는 사투르누스(Saturn Devouring His Son)'

(1819~1823)

고야는 스페인에서 추앙받는 국민 화가다. 프라도 박물관 앞에는 그의 동상이 서 있을 정도다. 심지어 프라도 박물관을 찾은 2014년 12월 초엔 고야의 특별전까지 열리고 있었다. 고야의 동상과, 거대한 고야 특별전 홍보 플래카드를 번갈아 바라봤다. 여기가 프라도 박물관인지, 아니면 고야 박물관인지 헷갈렸다.

그런데 프라도 박물관에 들어가 고야의 작품을 하나둘씩 접하다 보니 정말로 '여긴 고야 박물관이라고 해도 무방하겠다' 싶은 생각이 들었다. 그만큼 그의 작품은 충격적·인상적이었고, 압도적인 존재감을 자랑했다. 벨라스케스의 작품이 '오, 역시 벨라스케스…' 이런 평범한 감탄을 이끌어 냈다면 고야의 작품은 '으! 무슨 이런 인간이 다 있지?' 싶은 느낌이 들게 했다.

GOYA

고야는 1746년 스페인 동북부 지방의 한 시골 마을에서 도금공의 아들로 태어났다. 그는 14세 때부터 미술 공부에 정진하며 출세를 꿈꿨다. 그리고 28세였던 1774년 말, 드디어 왕립 태피스트리 공장의 부름을 받고 이듬해 초 마드리드에 입성했다. 마드리드에서 고야가 처음 한 일은 태피스트리의 밑그림을 그리는 일이었다. 태피스트리란 색실을 짜 넣어 그림을 표현하는 직물 공예를 뜻한다. 당시 궁(宮)에선 실내에 이 태피스트리를 걸었다. 돌로 된 궁에서 발생하는 추위와 습기를 방지하고, 더불어 활기찬 기운을 주기 위해서다. 태피스트리의 용도 때문이었을까. 당시 고야가 그렸던 태피스트리의 밑그림은 대부분 밝은 느낌이다. 1777년 그린 '파라솔'이란 제목의 그림을 보면 '자식을 먹어치우는 사투르누스'를 그린 그 화가의 그림이 맞나 싶을 정도다.

프란시스코 고야, '파라솔(The Parasol)' (1777). 이후 '자식을 먹어치우는 사투르누스'를 그리게 되기까지 고야에겐 무슨 일이 있었던 걸까.

마드리드에서 고야는 승승장구했다. 1780년 왕립 아카데미 회원으로 선출됐고, 1789년엔 궁정화가가 됐다. 고야의 명성은 점점 높아졌다. 궁정화가로 왕족의 초상화를 그리는 동시에 주요 성당의 벽화도 책임졌고, 기존의 태피스트리 밑그림 작업도 이어갔다. 성공에 대한 욕망으로 가득 찬 출세주의자의 삶은 이처럼 바빴다. 오랜 기간 격무에 시달리던 그는 1793년에야 휴가를 얻어 안달루시아 지방으로 여행을 떠난다. 그의 나이 47세의 일이었다.

이 여행에서 고야는 삶을 뒤흔드는 파국과 조우한다. 여행 도중 알 수 없는 병에 걸려 청력을 상실해 귀머거리가 된 것이다. 이후 그의 작품 세계는 급변한다. 인간의 내면과 잠재의식에 대한 표현으로 나아갔다. 고야의 우울한 후반생은 그렇게 시작됐다.

그의 후반생을 직조해 나간 씨줄이 청력 소실이었다면 날줄은 혼란스러운 시대 상황이었다. 고야가 귀머거리가 된 1700년대 말 유럽은 들끓고 있었다. 1789년 프랑스 혁명이 점화됐고 주변 국가들은 혁명의 파고가 국경을 넘어올까 전전긍긍했다. 당시 고야가 살던 스페인은 고압적이고 무자비한 종교·정치권력이 다스리는 야만적 사회로 악명이 높았다. 하지만 스페인에도 이성의 힘으로 미신과 인습을 타파하고 몰아낼 수 있을 것이라 믿는 계몽주의자들이 있었다. 고야도 그런 이들 중 하나였다. 이들이 루소와 볼테르의 나라, 프랑스에 호감을 가진 건 당연했다.

하지만 프랑스 혁명 이후 스페인으로 건너온 건 혁명의 정신이 아니라 나폴레옹의 군대였다. 1808년 프랑스가 스페인을 침공한 후 고야는 인간의 잔혹성과 광기를 목도한다. 죽고 죽이는 살육의 현장에서 이성은 도대체 어디에 있었을까. 전쟁은 5년간 이어지다가 1813

년 나폴레옹이 러시아 원정에 패하면서 겨우 끝이 났다. 이후 스페인은 주권을 되찾는 데 성공하지만 역사의 수레바퀴는 거꾸로 돌아 왕정이 복고된다. 1814년 왕좌로 돌아온 페르디난드 7세는 철저한 전제군주제의 정착을 꿈꾸며 의회를 해산해버린다. 고야를 비롯한 계몽주의자들이 타파하고 몰아내야 했던 괴물은 다른 무언가가 아닌 '인간', 그 자체는 아니었을까.

1819년, 70대가 된 고야는 마드리드 교외에 '귀머거리 집'이라고 불리던 2층짜리 시골집 하나를 구입한다. 원래 주인이 귀머거리였던 집이다. 고야는 1823년까지 이 집의 1층과 2층 벽 전체에 14점의 대형 벽화를 그린다. 이 그림들은 어둡고 기괴한 모습 때문에 일명 '블랙 페인팅', 즉 '검은 그림'이라고 불린다. '자식을 먹어치우는 사투르누스'도 '검은 그림' 중 하나다.

'옷 벗은 마하'와 '옷 입은 마하'는 그림치고는 너무 관능적이어서, '1808년 5월 2일, 마드리드'와 '1808년 5월 3일, 마드리드'는 비극적 사건의 찰나를 강렬하게 포착해서 탄성이 나왔다. 그러나 '검은 그림'을 마주하고는 할 말을 잃고 말았다. 그림에 대한 여러 가지 해석이 있지만, 옮기지 않도록 한다. '검은 그림'은 그림 그 자체로 깊은 절망과 환멸을 진하게 전하고 있었다.

이탈리아를 떠나 마드리드에 도착한 건 해가 완전히 저문 지 한참 된 늦은 저녁이었다. 숙소 체크인을 하는데 "올라(Hola)!" 호스텔 직원의 환영이 격했다. 숙소에 짐을 풀고 나와 마요르 광장과 솔 광장 등을 둘러봤다. 곳곳마다 흥겨움이 넘실댔다. 광장은 연말을 맞아 화려한 불빛과 인파로 가득했다. 거리 곳곳의 불 밝힌 술집도 사람들로 빼곡했다. 솔 광장을 지나가는데 사람들을 모아놓고 우스꽝스러운 행동으로 돈벌이를 하고 있던 광대가 날 잡았다. 아시아인이 지나가기만을 노렸던 모양이다. 다짜고짜 가방을 뺏더니 태권도도 가라데도 우슈도 아닌 국적불명의 무술 자세를 취하며 대결을 청한다. 이어 '에너르기파'까지 쏜 광대는 가까이 다가와 이번엔 '강남스타일'의 말춤을 같이 추자고 권한다. 지켜보던 마드리드 시민들은 연신 웃음을 터뜨렸다.

크리스마스와 연말연시를 앞둔 마요르 광장의 모습

식민지 조국의 시인 임화는 시 '자고 새면'에서 "자고 새면/이변을 꿈꾸면서/나는 어느 날이나/무사하기를 바랐다"라고 썼다. 소설가 김훈은 이를 인용하며 세설집 '바다의 기별'에서 "행복에 대한 추억은 별것 없다. 다만 나날들이 무사하기를 빌었다. 무사한 날들이 쌓여서 행복이 되든지 불행이 되든지, 그저 하루하루가 별 탈 없기를 바랐다. 순하게 세월이 흘러서 또 그렇게 순하게 세월이 끝나기를 바랐다"라고 썼다. 평화롭고 마드리드 시내를 거닐며 고야의 '검은 그림'과 안쓰러운 운명을 생각하다가, 문득 저 두 문학가의 글이 떠올랐다. 암스테르담에서 마주쳤던 고흐와 안네의 흔적도 갑자기 환영처럼 떠올랐다. 내가 살고 싶은 삶은 무엇일까. 위대한 작품인 고야의 '검은 그림'은 떠올리는 것만으로 여전히 전율이 일었는데, 마드리드 시민들의 웃음소리는 무사히 흩어지고 있었다.

18 오늘도 여행은 계속된다

포르투갈 리스본 & 포르투

18
오늘도 여행은 계속된다
포르투갈 리스본 & 포르투

유럽 대륙 서쪽 끄트머리에 자리 잡은 나라, 포르투갈은 접근부터 쉽지 않았다. 이른바 '리스본행 야간열차'를 타고 무려 9시간 40분을 달리고 나서야 비로소 수도 리스본에 도착할 수 있었다.

리스본과 포르투로 이어졌던 포르투갈 여정은 잔잔하고 여유로웠다. 강렬한 인상이나 커다란 감동을 주는 건축물·예술작품·이야기를 만나진 않았지만, 남루해서 정겨운 풍경과 따뜻한 햇살이 늘 함께했다. 포르투갈의 기록은 여행 도중 적었던 글 두 편으로 갈음하고자 한다.

2014년 12월 7일, 리스본

따뜻한 햇살이 오래된 도시를 노랗게 물들이고 있다. 이른 아침 도착한 리스본. 고요하고 추웠던 도시는 서서히 깨어나고 있다. 숙소 체크인은 오후 2시. 일단 짐을 맡기고 사람들이 돌아다니기 시작한 도시를 둘러보고 있다. 그러다 잠시 카페에 앉아 되는 대로 장광설을 풀어보고자 한다. 무슨 얘기를 하게 될진 잘 모르겠다.

여행을 하며 여러 가지 물건을 잃어버리거나 깨먹었다. 선글라스 분실을 시작으로 카메라 번들렌즈와 스마트폰 액정을 박살냈고, 급기야 노트북 충전 어댑터까지 분실. 그 와중에 10유로짜리 한 장, 뮌헨과 마드리드에서 1일 교통권 한 장씩을 분실했다. 그래도 나는 양호한 편이다. 여행하며 본 사람 중엔 약 100만 원 상당의 돈을 도둑맞거나, 카메라와 노트북이 든 가방을 통째로 분실한 사람도 있었다.

하지만 그들의, 그리고 나의 여행은 이렇게 계속되고 있다. 잠시, 혹은 길면 하루 정도는 울분과 비탄에 빠질 수 있겠지만 곧 정신을 차리고 다음 여정을 꾸린다. 저렴한 선글라스와 고물 스마트폰을 찾아 장만하고, 여행 경비를 축소하고, 새 배낭과 디지털 카메라를 구입한다. 여행은 자전거를 타는 일과 비슷하다. 발 구르기를 멈추면 자전거는 넘어진다. 마찬가지로 이 소중한 여행을 망치지 않으려면, 발 구르기를 멈춰선 안 된다.

삶은 종종 여행에 비유된다. 여행의 목적은 돈도, 남들과의 비교도, 자랑도 아니다. 둘러보고, 만나고, 먹고, 마시고, 느끼고, 웃거나 울며 단지 나아가는 게 목적이라면 목적이다. 여행과 마찬가지로 삶을 향해 짓쳐들어오는 상실과 파국도 수없이 많다. 왜 그 앞에선 여행자처럼 의연하기가 어려운 걸까…. 여행을 끝내고 한국에 돌아가 다시 시작할 새로운 여행에서는 더도 말고 딱 지금처럼, 여행자 신분의 나처럼, 상실과 파국 앞에 의연한 내가 되고 싶다. 어차피 삶은 계속되니까, 또 계속되어야만 하니까 말이다.

스페인의 고도(古都) 톨레도엔 대성당이 하나 있다. 과거 이곳엔 성모가 나타났다고 하는데… 그래서 성당 한 쪽엔 이를 증명하는 신비의 돌이 하나 있다. 뭐가 신비한가 하니 만지면 축축한데, 손을 떼고 손을 보면 물기가 없다. 이 돌을 만지며 한 가지 소원을 빌면 그 소원이 반드시 이루어진다고 가이드는 설명했다.

유럽엔 이처럼 소원을 비는 장소가 곳곳에 차고 넘친다. 늘 그 장소들을 그냥 지나쳤던 나는 이날 처음으로 진심을 담아 소원을 빌어보았다. 세파에 휘둘리지 않고 행복을 선택할 수 있는 용기와, 그 선택을 흔들림 없이 밀고 나갈 수 있는 추진력을 달라고 말이다. 어쩌면 세 달 전 퇴사를 결심할 당시의 나는 그런 모습이었다. 그리고 지금 행복한 마음으로 이 글을 쓰고 있다. 이번 여행은 금쪽같은 시간으로 남을 것이다.

햇살이 창 너머에서 사선을 그리며 카페 안으로 들어오고 있다. 크리스마스 장식이 햇빛을 받아 반짝인다. 몇몇 사람이 소파에 기대 졸고 있다. 평화로운 풍경이다.

상 조르지 성(城)에서 내려다본 리스본의 풍경

리스본 시내를 내달리는 트램

제로니무스 수도원. 탐험가 바스코 다 가마의 무덤이 있는 곳이다.

발견기념비. 대항해시대를 열었던 포르투갈의 용감한 선원들과 그들의 후원자들을 기리기 위해 만들어졌다고 한다.

발견기념비에서 내려다 본 벨렝 지구의 해안가

벨렝 탑. 4층짜리 등대다. 1983년 유네스코에서 세계문화유산에 올랐다.

2014년 12월 10일, 포르투

포르투의 한 와이너리에서 사온 칩 드라이 포트와인이란 걸 호스텔에서 혼자 한 잔 마셨다. 와인이라지만 도수가 20도에 달한다. 와이너리 투어를 받으면서 세 잔 마셨고, 아까 햄버거를 먹을 때 맥주도 한 잔 했으니 오늘은 술을 조금 마셨다.

그런데 잠이 안 온다. 잠이 오는 대신, 여행하며 보고 들은 수많은 이야기들이 갑자기 구름처럼 뭉게뭉게 피어나고 있다. 그러면서 새삼 세상에는 참으로 다양한 사람들과 다양한 사연이 있다는 생각을 하게 되는 것인데… 그러니까 예를 들어 한국인들이 각양각색인 것 같아도, 외국에 나와 한국인들을 떠올려 보면 다들 비슷한 모습이듯… 내 주변 인맥들 역시 각양각색인 것 같아도, 전혀 다른 세상에서 살아온 사람들을 연달아 만나다보니 내 주변 인맥들도 뭔가 인생사 모양새의 편차가 크지 않구나… 하는 생각이 드는 것이다.

모두가 조금은 마음이 헐거워진 여행지에서 우연히 낯선 누군가를 만나 툭툭 내뱉는, 하지만 절대 툭툭 내뱉을 만한 게 아닌 무게의 사연을 듣고 있다 보면 마음이

쿵

하고 요동칠 때가 종종 있다. 오우… 그러한 길을 걸어왔구나. 그런 삶을 품으며 나아가고 있구나. 열심히 살지 않는 사람 누가 있겠고, 세파에 시달리지 않는 자 누가 있겠으며, 고민이 없는 자 누가 있겠냐만… 실제로 그 사연을 구체적으로 접하고 있다 보면 마음이 심하게 요동칠 때가 부지기수였다.

쿵

하는 그 순간마다 아니 나란 놈은 도대체 뭐하는 놈이야? 나이에 비해 너무 편한 삶을 살아온 것은 아닌가? 나는 혹시 갓난아기 같은 그런 존재? 그래서 머리가 큰 것인가? 하는 말도 안 되는 생각이 들면서 나의 미래와 한 번 주어진 이 마지막 인생에 대해 생각해 보게 되는 것이다. 나는 앞으로 어떻게 살아가야 할 것인가.

그리고 또

새삼 생각한다. 비수기… 방학을 맞은 대학생보다는 이런저런 사연 있는 사람이 모이는 시기에 여행을 온 게 행운이었구나, 그리고 그 중 좋은 사람을 많이 만나고 그들의 이야기를 들을 수 있었던 게 참 나의 크나큰 복이구나… 라고 말이다.

그래서 술 많이 마신 김에 중간 인사 한 번 올리고 싶다. 이역만리에서 만난 여러분 모두 정말 반가웠고 고마웠습니다!

도루 강변에 자리 잡은 한 건물 바깥에 빨래가 널려 있다.

도루 강변의 풍경. 오른편의 보이는 것은 동 루이스 1세 다리다.

포르투의 대표 시장인 볼량 시장의 모습

테일러 와이너리에서 와인이 담긴 오크통이 줄지어 있는 모습

19 타파스 한 접시에 확신은 흔들리고

스페인 안달루시아(세비야/론다/그라나다)

19
타파스 한 접시에 확신은 흔들리고
스페인 안달루시아(세비야/론다/그라나다)

세비야, 론다, 그라나다의 공통점은? 바로 '안달루시아(Andalucia)'에 속한다는 점이다. 스페인 남쪽 끝에 자리 잡은 안달루시아는 스페인에서 가장 큰 지역 중 하나다. 서쪽으로는 포르투갈, 남쪽으로는 지중해를 접하고 있는데 그 면적이 약 8만 7600㎢에 달한다.

안달루시아 하면 해변과 태양이 유명하다는데 안타깝게도 내가 방문했던 세비야, 론다, 그라나다는 해안 도시가 아니었다. 게다가 태양을 만끽하지도 못했다. 세 도시를 지나는 동안 구름이 하늘을 덮어 태양을 가리기 일쑤였기 때문. 심지어 세비야에선 폭우를 뚫으며 여행하느라 심한 고생을 했다. 스페인도 이탈리아처럼 겨울이 우기(雨期)다. 나의 안달루시아 여행은 12월 12일부터 17일까지였다. 별 수 없이 흐린 날씨의 내륙 도시들을 천천히 둘러봤다.

세비야 길거리의 오렌지 나무. 오렌지의 색은 하나같이 밝고 선명해 흐린 날씨를 무색게 했다. 마치 평소 이곳을 비추고 달군다는 태양의 존재를 여실히 증명하고 있는 것 같았다.

히랄다 탑에서 바라본 세비야 대성당과 오렌지 정원의 모습

론다의 누에보 다리

그라나다 알함브라 궁전 내의 나스리드 궁전. 이처럼 안달루시아엔 이슬람 양식의 건물이 곳곳에 자리잡고 있다. 유럽의 다른 지역에선 찾아보기 힘든 풍경이다.

'신 이외의 정복자는 없다'는 문장으로 수놓인 나스리드 궁전 내부 벽의 모습. 이슬람교에서는 사람 혹은 동물을 벽에 그리거나 새기는 행위를 일종의 '우상숭배'로 간주한다고 한다. 이슬람 건물 벽이 식물이나 별, 꽃, 기하학적인 무늬, 혹은 이러한 문자로 장식돼 있는 이유다. 이런 이슬람의 장식 무늬를 일컫어 '아라베스크(arabesque)'라고 한다. '아라비아풍(風)'이란 의미다.

나스리드 궁전 내 대사의 방. 아라베스크의 극치다.

안달루시아는 동양과 서양, 가톨릭과 이슬람이 서로 부딪치고 공존했던 곳이라고 한다. 그 때문인지 건축과 음식 등이 유럽의 여타 지역과는 다른 점이 많았다. 해변도 태양도 없었던 안달루시아 여행 동안 이런 점은 충분히 인상적으로 다가왔다. 하지만 기억에 더 강하게 남은 건 따로 있다. 바로 타파스(tapas)로 기억되는 이곳 사람들의 흥겨움과 낙천성이다. 타파스란 작은 접시에 담겨져 나오는 소량의 요리를 뜻하는데, '덮개' 혹은 '뚜껑'이란 뜻의 스페인어 '타파(tapa)'가 그 어원이라고 한다. 안달루시아 사람들이 술이 담긴 잔 위에 먼지나 날벌레 등이 들어가지 못하도록 빵이나 고기를 올려두었던 데서 기원했다는 설이 있다.

스페인에서 처음 찾은 타파스 바는 세비야의 '보데가 산타 크루즈(Bodega Santa Cruz)'였다. 오후 8시쯤 이곳을 방문했다. 일찍 찾아간 것이라 생각했는데 가게 안팎은 이미 엄청난 인파로 북적이고 있었다. 사람들 사이를 겨우 비집고 들어가 바텐더와 마주했다. 바텐더는 스페인어와 영어를 뒤섞어 쓰며 주문을 재촉했다. 재촉은 전혀 불쾌하지 않았다. 오히려 얼굴 만면에 웃음을 띠며 재촉하는 게, 낯선 분위기에 당황한 이방인의 긴장을 풀어주려는 듯했다. 주문을 마치니 바텐더는 귓등에 꽂아두었던 분필을 꺼내어 바에 요금을 휘갈겨 적었다. 그리곤 그 광경을 멍하니 바라보던 나를 향해 사람 좋게 씩 웃었다.

술과 타파스를 받아들고 나니 이걸 어디서 먹어야 하나 고민이 됐다. 이미 가게 안의 테이블은 꽉 차 있었다. 입석 테이블이 놓인 가게 밖 사정도 마찬가지였다. 그런데 가만 보니 이곳 사람들은 테이블이 없으면 없는 대로 가게 밖에 선 채 술과 타파스를 즐겼다. 아니… 도대체 이 사람들은 뭐지…? 별 수 없이 엉거주춤한 자세로 서서 먹고 있는데 갑자기 유모차를 끈 한 부부가 등장한다. 아니… 술집에 아기가…? 부모의 손을 잡은 어린 소년·소녀가 수시로 출몰하는 것도 예사였다. 약간 당황스러운 풍경에 넋을 놓고 있자니 이번엔 웬 청년들이 줄지어 나타나 악기를 연주하며 노래를 부른다. 누군가 노래를 따라했고, 노래가 끝나자 박수가 터졌으며, 이어 경쾌한 동전소리가 '짤랑' 하고 밤공기를 갈랐다.

타파스 바가 이 모양인 건 세비야뿐만이 아니었다. 론다나 그라나다의 타파스 바도 사정은 마찬가지. 초저녁부터 붐볐고, 정신없는 가운데서도 신속한 주문과 수령이 이어졌으며, 앉을 자리가 없어도 사람들은 전혀 개의치 않고 술과 타파스를 즐겼다. 론다의 한 타파스 바에선 내게 "마이 프렌드!"란 말을 100번쯤 건넨 종업원 때문에 정신이 하나도 없었다. 그라나다에선 작은 사이즈의 맥주를 달랬더니 엄청나게 큰 사이즈의 맥주를 건네주곤 엄지를 척 들어보이던 종업원 때문에 얼이 빠지기도 했다. 그러다가도 환히 웃는 그들의 표정을 보면, 나도 모르게 피식피식 웃음이 나곤 했다.

세비야의 타파스 바 '보데가 산타 크루즈' 밖에 선 채 술과 타파스를 즐기는 사람들. 청년들의 노래가 흥겨움을 더한다.

세비야 밤거리에서 노래를 부르고 있는 청년들. 해가 진 세비야 거리 곳곳에는 남녀 노소를 불문하고 음악으로 밤을 물들이는 사람들이 많았다.

찰리 채플린은 '인생은 멀리서 보면 희극, 가까이서 보면 비극'이라고 했다. '아무리 아름다운 풍경도 그 안에 들어가면 고단한 삶에 불과하다'는 말도 있다. 타파스 바에 들를 때마다 나는 헷갈렸다. 스페인의 실업률과 경제성장률 등을 고려할 때, 이 사람들이 진심으로 흥겹고 낙천적일 수는 없을 것이라는 생각이 들었기 때문이다. 겉으로는 흥겹고 낙천적인 것처럼 보이지만, 그것은 내가 이방인의 시각에서 바라보았기 때문은 아닐까… 하는 생각이 들었다.

하지만 안달루시아 이전에 들렀던 도시 마드리드와 이후 들렀던 도시 바르셀로나의 사람들을 보며 내 생각이 틀렸음을 깨달았다. 안달루시아 사람들은 같은 나라 사람들인 마드리드·바르셀로나 사람들과 비교해도 확실히 더 흥겹고 낙천적이었다. 이 말은 곧 더 비생산적이고 게으르다는 말이기도 하다. 낮엔 길거리 가게 상당수가 시에스타(siesta)를 지키겠다며 문을 걸어 닫으면서도, 밤이 되면 날 새는 줄 모르고 술과 타파스를 즐기는 곳… 해가 진 거리에서 남녀노소 불문하고 모여 노래를 불러대고, 수많은 사람들이 할 일도 없는지 그걸 지켜보며 박수치며 좋아하는 곳… 내가 목격한 안달루시아는 그런 곳이었다.

유럽여행을 오기 전, 직장에 다니던 나는 스페인 사람들이 정부의 여러 가지 긴축재정 안에 반대하며 대규모 시위를 벌였다는 소식을 접할 때마다 혀를 끌끌 차곤 했다. 나라가 경제위기에 봉착했다는데 본인의 안위만 생각하는구나… 하고. 그런데 직접 와서 이들의 삶을 지켜보고 나니 혀를 끌끌 차던 과거의 내 모습이 약간 안쓰러워졌다. 한국인의 삶은 안달루시아 사람들이 볼 때 어떤 모습일까. 또 유럽여행을 오기 전 내 삶을 안달루시아 사람들이 보았다면 무슨 생각을 했을까. 혀를 끌끌 차던 과거의 나는 분명 확신에 차 있었던 것 같은데…. 술과 타파스를 즐기던 안달루시아에서 나는 이상하게도 약간 민망한 기분이 들었다.

interlude #7
뜨겁게 안녕

interlude #7. 뜨겁게 안녕

여행을 덮치는 고난과 역경은 스페인과 포르투갈이 자리 잡은 이베리아 반도에 이르러 최고조에 달했다. 이베리아 반도로 들어온 직후 노트북 충전 어댑터 분실로 시작된 불운은 스마트폰 유심 장착부 박살이라는 비극을 지나 여행 수첩 분실이라는 파국으로까지 치달았다. 여행 수첩엔 그동안 여행하며 기록한 내용이 빼곡히 적혀 있는데….

여행 수첩 분실 사실을 깨달은 그라나다의 밤, 역과 호스텔을 오가며 수첩의 행방을 수소문하다가 화가 나 다 관둔 채 역 카페테리아에서 맥주 두 잔을 마셨다. 이후 벤치에 앉아 음악을 들으며 눈 감고 잤음. 역에서 야간열차가 출발하기 전까지 약 다섯 시간가량을 씩씩대며 앉아 있었던 듯. 그라나다 이놈의 도시는 그 흔한 와이파이도 찾기 힘들고 진짜… 그 흔한 맥도날드와 스타벅스가 없다니…. 세계인의 입맛을 사로잡은 세계적인 브랜드를 다.시.는 무시하지 마라!

무시하지 말라고… 취한 마음속에선 그런 무언의 외침이 일었고….

그러나 야간열차를 타고 뒤척이며 도착한

바르셀로나,

새 도시에 도착하니 마음이 조금 진정되는 듯. 일단 어디서든 와이파이가 빵빵하고… 음… 여행 수첩은 그라나다 어디선가 자신의 생을 꾸려나가고 있겠지… 그런 생각도 들고… 스페인 사람이 주웠을까? 알 수 없는 이국의 문자가 빽빽이 들어찬 그 수첩에 불을 붙여 담뱃불이라도 붙인 건 아닌지… 아무튼… '뜨거운 안녕'이라도… 부르고 싶은 그런 기분이다. 하긴 어제도 그러긴 했는데… 대낮부터 그란데 사이즈의 맥주 두 잔을 물처럼 들이키는 날 이상하게 바라보는 곱슬머리 직원에게 맘속으로 그랬었지… 친구여 아미고(amigo) 그렇게 보지 마 맘껏 취하고 싶어… 오늘은 여행 수첩에게 부릅니다. 떠난다면! 보내 드리리~ 뜨겁게, 뜨겁게 안녕!

그래도 좋은 사람들을 많이 만나 즐겁고 행복했습니다. 바르셀로나에선 아무것도 잃어버리지 않았으면….

20 안토니 가우디의 삶

스페인 바르셀로나

20
안토니 가우디의 삶
스페인 바르셀로나

천재 예술가란 거칠게 표현하자면 '새로운 세계를 창조해 내는 사람' 아닐까. 지금까지 찾아볼 수 없었던 세계. 누구도 떠올리거나 상상할 수 없었던 세계. 고정관념과 낡은 반복에 익숙한 범인(凡人)은 이 새로운 세계 앞에서 큰 충격을 받는다. 천재 예술가를 향한 나의 동경은 매우 심각한 수준이다. 늘 그들의 삶을 부러워했고, 능력과 여건만 받쳐준다면 고민의 여지없이 그들처럼 되고 싶다고 생각해 왔다.

프란츠 카프카의 표현을 빌리자면 천재 예술가는 '잘 드는 도끼를 만들고 부리는 사람'이라 할 수도 있겠다. "우리가 읽는 책이 우리 머리를 주먹으로 한 대 쳐서 우리를 잠에서 깨우지 않는다면, 도대체 왜 우리가 그 책을 읽는 거지? (중략) 책이란 무릇, 우리 안에 있는 꽁꽁 얼어버린 바다를 깨뜨려버리는 도끼가 아니면 안 되는 거야." (카프카가 친구 폴락에게 보낸 1904년 1월 27일자 편지글의 일부)

이런 면에서 스페인 바르셀로나에서 만난 건축가 안토니 가우디는 분명 천재 예술가라 할 만했다. 건축물은 그림이나 음악과는 확연히 다르다. 감상이라는 예술적 목적보다 실용적 목적이 더 크기 때문이다. 하지만 가우디의 건축물은 보는 이에게 그림이나 음악보다 더욱 큰 울림을 주고 있었다.

일단 생경한 외양이 입을 벌어지게 했다. 전에 본 적 없는 기괴한 곡선과 야릇한 색감이 충격을 줬다. 건축물 속에 숨은 수많은 의미와 과학적 장치 역시 놀랍기는 마찬가지. 천재가 숨겨 놓은 의미와 과학적 장치를 범인이 대번에 눈치 채기란 쉽지 않은 일이었다. 그래서 가이드의 도움을 받았다. 가이드는 구엘 공원부터 카사 비센스, 카사 밀라, 카사 바트요, 사그라다 파밀리아(성 가족 성당), 구엘 저택, 그리고 가우디의 첫 작품인 레알 광장의 가로등까지 총 일곱 작품을 살펴보는 동안 추가적인 설명을 덧붙이며 충격을 증폭시키곤 했다.

구엘 공원 전경. 사진 뒤편에 기둥이 떠받치고 있는 것이 '자연의 광장'이다. 광장 바닥엔 고운 모래가 깔려 있다.

'자연의 광장'을 떠받치고 있는 기둥. 천장은 구름과 태양을 형상화한 모습이다." 이곳엔 과학적 장치가 하나 숨어있다. 힌트는 위를 향해 오목하게 파인 구름의 모습에 있다. 이런 형태 때문에 '자연의 광장'을 통해 스며든 비는 모래에 의해 정수(淨水)된 뒤 기둥 쪽으로 몰린다. 기둥 안은 비어 있어서 대롱의 역할을 한다. 기둥을 통해 아래로 흘러간 물은 기둥과 연결된 지하 물탱크에 저장된다. 가우디는 정수와 저수(貯水)를 한 번에 끝낼 수 있는 과학적 장치를 이곳에 숨겨 놓았다.

일명 '도마뱀'이라고 불리는 구엘 공원의 분수. 지하 물탱크가 가득 차면 바로 이 '도마뱀'의 입에서 물이 나온다. '도마뱀'은 단순한 장식이 아니라 배수 시스템의 일부다.

구엘 공원을 돌아다니다보면 이처럼 용설란(龍舌蘭)이 심어진 길이나 난간을 자주 만나게 된다. 용설란의 뿌리는 흙을 단단하게 잡아주는 역할을 한다. 이 때문에 가우디는 용설란을 매우 좋아했고, 사진에서처럼 기둥 등의 상단 부분에 심어 건축물의 안정성을 제고했다고 한다. 난간엔 듬성듬성 구멍이 뚫려 있다. 거센 바람이 불어도 무너지지 않게 하기 위해서다.

성 가족 성당(사그라다 파밀리아)의 외부 모습

가우디의 건축물을 살펴보는 동안 나를 포함한 여행자들은 입을 다물지 못했다. 가우디에 대한 찬탄은 끊임없이 이어졌다. 미쳤다, 장난 아니다, 천재다, 믿을 수 없다, 할 말이 없다, 존경스럽다, 사람이 맞을까… 다양한 방식으로 표현되던 찬탄은 이따금 자괴로 발전하기도 했다. 우린 뭐하는 놈들일까, 가우디와 생물학적으로 같은 종이 맞는 걸까, 가우디는 이랬는데 우린 대체 왜 이 모양일까… 끝없이 뻗어나가던 찬탄과 자괴가 멈춘 건 마지막으로 찾아간 레알 광장에서였다. 가이드는 가우디의 첫 작품인 가로등에 대한 소개까지 마친 뒤, 가우디의 생애에 대한 이야기를 꺼냈다.

간단히 요약한 가우디의 생애는 다음과 같다. 가우디는 1852년 6월 25일 가난한 구리 세공업자의 아들로 태어났다. 어린 시절부터 폐병과 류머티즘 관절염을 앓았고 평생 동안 이에 시달렸다. 1876년엔 형이 25세의 나이로 요절했고 이에 충격을 받은 어머니도 두 달 후 세상을 떠났다. 여자를 짝사랑한 적은 있지만 평생 연애도 결혼도 못했다. 젊은 시절 5년 동안 짝사랑했던 여자에게 거절당한 경험이 크게 작용했다고 한다. 젊은 시절 가족 대부분을 잃고 쓸쓸히 살아온 가우디의 끝은 더욱 비참했다. 성 가족 성당 작업장에 기거하며 매일 같은 생활을 반복하던 가우디는 1926년 6월 7일 오후 성당을 나와 산책하던 도중 전차에 치이는 사고를 당했다. 하지만 허름한 차림 때문에 부랑자로 오인된 나머지 길거리에 오랜 시간 방치됐고, 뒤늦게 병원으로 이송됐지만 뇌진탕과 늑골 골절 등으로 인해 고통스러워하다 결국 이틀 뒤 사망했다.

이야기를 다 듣고 난 후, 나는 잠시 동안 말을 잃고 말았다.

바르셀로네타 해변의 모습

가우디의 생애에 대해 듣자 연민의 감정이 들었다. 낯설었다. '가우디 같은 삶을 살 바에야 차라리 필부필부(匹夫匹婦)로 행복하게 사는 게 낫겠다'하는 생각마저 들었다. 어색했다. 원래대로라면 '삶이 고달픈들 무슨 상관이람, 이렇게 많은 것을 남겼는데!' 하는 생각이 들었을 텐데… '온갖 세파가 삶을 뒤흔들고 난타한다 해도, 예술적 성취를 이룰 수 있다는 보장만 있다면 기꺼이 그렇게 되고 싶다'는 소망을 품곤 하던 나였는데….

문득 바르셀로나에 도착했던 첫날 찾아간 바르셀로네타 해변의 모습이 떠올랐다. 조용히 부서지던 작은 파도, 함께 산책 나온 연인, 바다를 바라보며 함께 맥주를 마시는 친구들, 지는 태양에 타는 듯 붉어지던 하늘…. 천재 예술가만이 동경의 대상이라면 그 해변에 있던 사람들의 생은 무슨 가치가 있을까. 해변의 풍경을 머릿속으로 더듬다가 가만히 자문해 보았다. 왜 천재 예술가를 동경했는가. 왜 그들의 삶을 부러워하고 그들처럼 되고 싶어 했는가. 분명히 자신 있게 대답할 수 있을 것 같은 질문이었는데… 이상하게도 명확한 대답이 쉽게 떠오르지 않았다.

21 사기꾼이 성자로 바뀌기에 충분한 시간

프랑스 파리

21
사기꾼이 성자로 바뀌기에 충분한 시간
프랑스 파리

샤를 드골 공항에 내려 파리로 가는 지하철을 타다가 나도 모르게 얼굴이 찌푸려졌다. 너무 더러웠기 때문이다. 지하철뿐만이 아니었다. 파리 시민들에겐 '쓰레기를 길거리와 공공시설에 투척해야 일자리가 창출된다'는 굳은 믿음이라도 있는 것인지, 도시 구석구석마다 쓰레기가 알차게 뒹굴고 있었다. 문득 런던이 떠올랐다. 파리는 깨끗했던 런던과는 정반대의 모습이었다.

뿐인가. 런던의 지하철, 그러니까 언더그라운드는 매우 작은 규모에도 불구하고 질서의 지배 아래 평화롭게 운영되고 있었다. 그러나 파리의 지하철은 그야말로 무법천지였다. 개찰구엔 무임승차를 방지하는 장치가 이중삼중으로 덕지덕지 덧대어져 있었는데, 파리 시민들은 솜씨 좋게 이 장치들을 피해 무임승차를 해댔다. 지하철로 들어가는 입구조차 서로 완전히 다른 모양새였다. 런던의 언더그라운드역 입구가 명쾌하고 단순한 형태로 지어져 있었다면, 파리의 지하철역 입구는 마치 판타지 영화에나 나올 법한 화려하고 복잡한 모습으로 꾸며져 있었다.

파리 지하철역 입구의 모습. 보면 볼수록 파리와 잘 어울리는 모양새다.

도시 내 상주하는 소매치기와 잡상인의 비율은 또 어떤가. 내가 겪은 런던은 서울이나 도쿄 등 동아시아 국가의 수도를 압도할 정도로 치안 수준이 높았다. 반면 파리의 경우, 거리마다 널린 게 소매치기요, 잡상인이었다. 특히 몽마르트 언덕이나 에펠탑 같은 곳은 그야말로 소매치기와 잡상인의 소굴이었다. 그나마 로마에선 경찰이 열심히 뛰어다니며 이들의 활동을 제약하려고 하는 것 같았는데… 왠지 파리에선 그런 모습도 찾아보기 힘들었다.

팡테옹에서 만난 소설가 빅토르 위고의 무덤 앞에선 영국 소설가 찰스 디킨스를 떠올렸다. 생각해보니 이 두 사람마저 지나치게 달랐다. '빈자(貧者)의 수호자'라는 별명이 붙을 정도로 윤리적으로 올바른 삶을 살았던 찰스 디킨스는 왠지 그 자체로 영국 같았다. 반면 평생 수많은 여인과 염문을 뿌리고, 정치적 문제로 수없이 망명길에 오른 빅토르 위고의 삶은 어쩐지 프랑스 그 자체였다. 그들이 남긴 작품도 가만 보면 서로 비슷한 듯하면서 실은 얼마나 다른가.

한마디로 런던은 엄격한 교육을 받으며 예의 바르게 자란 공주님 같았고, 파리는 예술적 기질은 풍부하지만 제멋대로 살아가는 골칫덩이 같았다. 마지막 여행지가 될 파리와 프랑스는 이렇듯 별로 친절치 않은 인상으로 첫 인사를 건넸다.

하지만 누가 알았으랴. 한국으로 돌아가는 날, 이 파리와 프랑스에 크게 정이 들어있을 줄을. 파리에선 8일을 머물렀다. 최근 인기를 끈 tvN 드라마 '미생'엔 이런 대사가 나온다. '3분은 사기꾼이 성자로 바뀌기에 충분한 시간이다.' 그런데 사람뿐 아니라 도시에 대한 인상도 짧은 시간 내에 바뀔 수 있는 것인가 보다. 8일은 더럽기만 했던 파리가 매력적인 도시로 바뀌기에 충분한 시간이었다.

어느 곳을 가도 넘쳐나던 세계 각국의 관광객. 그리고 그 속에 섞여 에펠탑이니 개선문이니 베르사유 궁전이니 하는 파리의 명소를 찾아 다니던 나. 온갖 소설과 영화의 배경이 된 장소에 서서 감격에 겨워 하고, 루브르 박물관과 오르세 미술관에서 대가의 작품을 보며 몸을 떨다가 이 도시의 힘이 무엇인지 어렴풋 절감할 수 있었다. 비록 시내는 깔끔하지 않고 사람들은 제멋대로지만, 혁명과 예술의 정신을 역사의 최전선에서 세계에 전파해 온 위대한 도시 파리. 그래서 이 도시엔 어느 한 순간, 문득 심장을 고동치게 만드는 힘이 있는 것 같았다.

영화 '비포 선셋' 첫 장면에 등장하는 서점 '셰익스피어 앤 컴퍼니'

노트르담 성당. 빅토르 위고의 소설 '파리의 노트르담'의 배경이 된 장소다.

몽마르트 언덕에 위치한 사크레 쾨르 성당

몽마르트 언덕에서 한 흑인 가수가 즉흥 공연을 펼치고 있다. 저무는 태양 아래서 함께 음악을 즐기던 사람들. 하늘 높이 울려 퍼지던 비틀즈의 'Let it be'.

에펠탑과 더불어 파리의 상징인 개선문. 2014년 마지막 날, 개선문에선 멋진 불빛이 뿜어져 나왔다.

오르세 미술관의 상징인 대형 시계를 안에서 바라본 모습

파리의 상징인 에펠탑

파리를 떠나는 날 오전 찾았던 바스티유 광장에서도 마찬가지였다. 프랑스 혁명의 도화선이 된 바스티유 습격 사건이 벌어졌던 곳이다. 첫인상은 역시나 별로였다. 약 50m의 기념탑이 광장 한 가운데 덩그러니 세워져 있을 뿐 별달리 볼 게 없는 장소였다. 시내 다른 곳과 마찬가지로 바닥엔 쓰레기가 나뒹굴었다. 하지만 스마트폰을 꺼내 영화 '레미제라블'의 OST인 'Do you hear the people sing?'을 재생하자 바로 그 '어느 한 순간'이 찾아왔다.

"Do you hear the people sing(민중의 노래가 들리는가)? Singing a song of angry men(성난 민중의 노랫소리가)? It is the music of a people who will not be slaves again(다시는 노예가 되지 않겠다는 사람들의 노래가)!…" 힘찬 노래가 이어폰을 타고 귓가로 흘러들었다. 내가 살아오며 배워온 프랑스 혁명에 대한 지식과 예술작품이 떠올랐다. 심장이 뛰었다. 고개를 들었다. 다시 바라본 광장은 전과는 완전히 다르게 느껴졌다.

22 손님은 왕이 아니야

유럽을 떠나는 비행기 안에서

22
손님은 왕이 아니야
유럽을 떠나는 비행기 안에서

유럽을 떠나던 날의 일이다. 파리에서 인천으로 향하던 대한항공 항공편 안. 여객기가 이륙 과정에 들어갔을 당시 한 승객이 화장실에 가려고 일어서자 승무원이 아주 예의 바르게, 아니 더 정확히 표현하자면 매우 간곡하게 앉아달라고 부탁했다. 80일 동안 유럽의 저가항공을 네 번 이용했던 나는 이런 풍경이 낯설었다. 승무원의 저런 예의바름이 전엔 분명 아무렇지 않았던 것 같은데….

런던에서 암스테르담으로 가던 이지젯 항공편 안에서의 일이다. 비행기는 탑승 후 한 시간이 지나서야 이륙했다. 그 한 시간 내내 나와 내 옆자리에 앉은 미국인은 계속 씩씩댔다. 아니… 이게 말이 돼? 당시 이지젯 측이 내세운 이륙 지연 이유는 갑작스런 날씨 악화였다. 때문에 승객들은 비행기에 탑승한 채 한 시간을 기다렸다. 이륙 지연을 알리는 기내 방송도 탑승한 지 한참이 돼서야 나왔다. 방송이 나오자 한 네덜란드인이 손을 들었다. '오, 항의를 하려나 보군!'

그런데 그의 입에서 나온 한 마디. “커피 한 잔 마실 수 있을까요?” 음… 뭐지? 그는 커피를 마시며 노트북을 두드리기 시작했다.

주위를 둘러보니 다들 수다를 떨거나 책을 읽거나 하는 식이었다. 화가 나 표정이 복잡해진 사람은 동양인, 혹은 미국 영어를 재빠르게 구사하는 사람이 대부분이었다. 암스테르담에 도착하자 기내 방송이 나왔다. 잘 도착했다, 참 그리고 오늘 조금 늦어서 미안! 이런 느낌의… 짧은 유감 표시가 다였다. 옆의 미국인이 그걸 듣더니 나를 향해 양 어깨를 으쓱거리며 한숨을 쉬었다.

흔히 유럽은 서비스가 엉망이라고 말한다. 영화 ‘비포 선라이즈’에도 이에 관한 언급이 나온다. 내가 느낀 유럽도 그랬다. 식당에 가면 주문하는 것도, 음식이 나오는 것도, 계산하는 것도 한 세월이었다. 자판기를 사용하려고 가게에 들어가 지폐를 잔돈으로 바꿔달라고 부탁하면 어디든 하나같이 “쏘리”라고 말했다. 가게에서 뭘 사면 잔돈을 집어던지기 일쑤였고, 비닐봉지에 구매품을 담아주는 경우는 절대 없었다. 돈을 주고 비닐봉지를 사면 비닐봉지를 던져주고, 그러면 그걸 주워 스스로 물건을 담아야 했다.

내 느낌은 이랬다. 이곳은 자신이 제공해야 할 의무가 있는 서비스 외엔 추가적인 서비스를 제공하지 않는 곳이구나. 고객 감동? 그런 걸 내가 왜 제공해야 하냐는 듯한 느낌. 판매자와 구매자의 관계는 마치 교환할 돈과 서비스를 명확하게 설정한 계약관계인 것처럼 보였다.

식당을 예로 들어보면 이런 느낌이다. 나는 너한테 돈을 받고 음식을 제공하겠지만, 먼저 온 다른 테이블 고객의 주문과 서빙과 계산을 마칠 때까지 기다려라. 내가 널 위해 서두를 이유는 없지 않느냐.

'서둘러서 해야 한다'는 건 네가 나한테 준 돈에 포함되지 않은 사항이다. 이런 느낌?

이지젯도 마찬가지였다. 우린 우리가 할 수 있는 범위 내에서 너를 도착지까지 날라주면 그뿐이다. 날씨가 안 좋아서 늦게 이륙한 게 우리 책임도 아닌데 미안해하고 보상해야 할 이유가 뭐냐? 더 인상적인 건 서비스를 제공받는 유럽인 대부분이 이에 익숙해 보인다는 점이였다.

우리나라엔 마음에도 없는 과도한 친절이 넘쳐난다. '손님은 왕이다'란 말이 상식처럼 퍼져있다. 과거 기자였던 당시 취재한 바에 따르면 은행과 기업서비스센터엔 하루에도 수십 명씩 온갖 미친 사람들이 방문하거나 혹은 전화로 행패를 부린다. 재밌는 건 그게 또 먹혀들어갈 때가 허다하다는 점이다. 한국은 블랙 컨슈머가 자라나기 좋은 영토다. 손님은 왕, 이기 때문이다.

유럽에 다녀온 많은 이들이 말한다. 한국만큼 편리한 나라가 없다고. 크게 공감하는 바다. 귀국 당일 오후 8시, 전자제품 서비스센터를 찾아갔다. 유럽에서 잃어버린 노트북 충전 어댑터를 구매할 수 있을까 해서다. 문에는 '업무가 종료됐습니다'라는 안내판과 함께 '업무종료시각은 오후 6시'라는 안내문이 붙어있었다. 하지만 문 너머로 불이 켜져 있는 모습이 보였다. 혹시 하고 문을 두들겨 직원을 만나 "가능하다면 노트북 파워 어댑터를 구매하고 싶다. 수리하러 온 건 아니다"라고 말하자 곧바로 어댑터를 구매할 수 있었다. 다음날 오전엔 스마트폰 액정을 고치러 갔다. 뮌헨의 수리기사는 결국 고치지도 못했으면서 "일단 두 시간을 달라"라고 했었는데, 이날 수리에 걸린 시간은 7분에 불과했다.

대한항공 비행기는 별 걸 다 신경 써주는 승무원 덕분에 더할 나위 없이 편리했고, 전자제품 서비스센터의 일처리는 시간을 불문하고 기절할 만큼 신속했다. 뿐만이 아닐 테다. 모르긴 몰라도 아마 우리나라 서비스 업종 대부분은 친절과 속도에 있어 타의 추종을 불허할 것이다. 그리고 그것이 바로 우리가 말하는 '편리한 대한민국'의 토대다.

하지만 바로 그 때문에 서비스 제공과 관련된 일을 하며 살아가는 많은 사람이 추가적인 스트레스를 끌어안고 살아간다. 별별 같잖고 황당한 스트레스 말이다. 뿐인가. 이런 문화 때문에 버릇이 잘못 드는 사람도 한둘이 아니다. 일전에 한국을 떠들썩하게 만들었던 '라면 상무'는 그런 사람의 전형이다. '편리한 대한민국'의 토대는 곧 '피곤한 대한민국'의 토대이기도 한 게 아닐까?

파리 메트로에서 매표창구 직원은 "표를 버려서 나갈 수가 없다"라는 내게 "그럼 나갈 수가 없겠네요. 그러니까 표 관리를 잘했어야죠"라고 말했다. 황당했지만 맞는 말이었다. 그 말을 한 직후 직원은 아무 일 없었다는 듯 자신이 하던 일로 돌아갔다. 내 눈엔 그게 그렇게 쿨할 수가 없었다.

유럽에서 손님은 왕이 아니었다. 손님도 서비스 제공자도 동등한 입장의 시민이었다.

outro

Thank you for sharing your time with me!

outro Thank you for sharing your time with me!

한국에 돌아와 여행 중 기록한 것들을 다시 읽어보았다. 기록할 당시와는 사뭇 다른 기분이 들었다. 아마 여행을 할 때와 지금의 상황이 다르기 때문일 것이다. 모든 걸 훌훌 털어버리고 떠나 이역만리에 있던 당시와, 구직 문제나 타인의 시선 등 여러 가지 현실적 문제가 나를 옥죄어 오는 지금은 달라도 너무 다르다. 이런저런 부담감에 여행기를 매듭짓는 일도 늦어졌다. 뒤늦게 여행의 기억을 복기하려다 보니 여행기의 생생함이나 밀도가 떨어진 것 같아 약간 속상하기도 하다. 대신 장기간의 여행을 다녀온 후 일상으로 복귀한 소감에 대해선 보다 현실적으로 기록할 수 있게 됐다.

80일간의 유럽여행을 다녀왔다고 해서 내게 엄청난 사고의 확장이나 천지가 개벽할 만한 변화가 있을 리 없다. 개인에게 피로와 피곤을 과도하게 부과하고, 서로가 서로를 시선이란 이름의 감옥으로 가두는 한국 사회 또한 별반 달라진 게 없다. 나는 어느덧 언제 여행을 다녀왔냐는 듯 일상으로 돌아와 구직 문제를 어떻게 해결할지 고민 중이다.

다만 한 가지는 잊지 않고 오랫동안 마음에 품으려 한다. 여행을 막 떠난 직후의 나는 '지금의 나'에게 집중하는 것이 중요하구나, 라는 생각을 하고 있었다. 바로 그런 상태에서 어떤 선택을 할 때 비로소 행복해질 수 있음을 절실히 체감하고 있었기 때문이다. 남들이 "좋다, 좋다" "우와, 우와" 하는 것을 선택하지 말자. '지금의 나'는 무엇을 선택하고 싶은지, 마음 속 목소리에 늘 귀 기울이자. 순간순간 기억에 남을 날을 만들어 가자. 앞으로도!

이제 '유럽'이란 단어를 들으면 내가 들렀던 도시의 풍경과 만났던 사람의 얼굴이 마음속에 부표처럼 떠오른다. 먹었던 음식과 들었던 노래, 바라보던 그림과 순간순간의 감정까지 뭉게뭉게 피어오른다. 아마 오랫동안 잊히지 않을 테다. 망각의 늪으로 영원히 사라져버릴 수도 있었던 지난해의 80일은 그렇게 머리와 가슴 속 깊이 각인됐다.

스페인 그라나다의 '올드타운 호스텔(Oldtown Hostel)'은 노부부 단둘이 운영하는 작은 숙박업소다. 대형 체인 호스텔과 달리 세세한 부분까지 신경 써주는 점이 감동적이었다. 그중에서도 마음을 크게 울린 건 할머니의 마지막 인사였다. "3일간 감사했다"라는 나의 작별 인사에 할머니는 이렇게 답했다.

"Thank you for sharing your time with us."

'네 시간을 우리에게 나누어 주어서 고맙다'라… 79박을 했지만 그런 인사를 듣기는 또 처음이었다.

80일간의 여행을 마치고 한국으로 돌아오는 길, 그 말이 자꾸 떠올랐다. 그러고 보니 나도 그랬다. 여행하는 동안 많은 사람을 만났는데, 그 중 대다수는 그들의 소중한 시간을 내게 나누어 주었다. 사람은 세월의 더께에 묻힌 기억을 순식간에 소환시키는 강력한 매개체다. 시간을 나누어 준 이들 덕분에 80일간 여행하며 만난 풍경을, 바람을, 또 감정을 오래도록 기억할 수 있을 것 같다.

그래서 이 안내서의 마지막은 진부하지만 이렇게 맺어야 할 것 같다. 유럽에서 만났던 모든 사람들, 만나서 정말 진심으로 반갑고 즐거웠어요. Thank you for sharing your time with me!